Le Pilotage automatique

Les carnets
techniques

Tout savoir sur
Le pilotage automatique

Peter Christian Förthmann

Version française
Antoine Dequidt et Claude Roelens

© 2020
fabrication et édition
Books on Demand GmbH
ISBN: 978

Sommaire

A propos des traducteurs

Claude Roelens, après des études universitaires en langues étrangères, s'est orientée rapidement vers la traduction et pratique la navigation de plaisance depuis plus de dix ans. ***Antoine Dequidt***, après des études universitaires en langues étrangères et divers emplois de cadre dans des sociétés multinationales, a consacré plus de vingt années au marché du nautisme pour une grande chaîne de distribution de matériel. Il a aussi participé à la construction de plusieurs bateaux, du dériveur de base au trimaran de 40 pieds et a navigué sur la plupart des océans. En 1997, Claude et Antoine créent Acserv, société de traduction spécialisée dans le nautisme.

Avant-propos

Aussi étrange que cela puisse paraître au premier abord, peu de plaisanciers adeptes de la croisière aiment barrer. La perspective de devoir passer des heures et des heures à la barre a longtemps dissuadé les navigateurs de partir en croisière hauturière. C'est sans doute pourquoi, jusqu'à encore récemment, peu de voiliers s'aventuraient au loin. L'arrivée des pilotes automatiques spécialement conçus et fabriqués pour les voiliers, ainsi que le développement de régulateurs d'allure efficaces, a sensiblement modifié la situation. Même en équipage réduit, le plaisir des longues traversées n'est plus altéré par les quarts interminables à la barre. Après un tour du monde de 70 000 milles nautiques avec un Aries et un autre de 40 000 milles avec un Hydrovane, je ne pourrai pas être accusé d'exagérer si j'affirme sans réserves que le régulateur d'allure est l'un des éléments les plus importants à bord d'un voilier de croisière.

Je suis cependant surpris de constater que cette opinion est loin d'être partagée par tous les amateurs de croisières. Après avoir grandi dans un monde de technologie, sans doute avons-nous tendance, pour la plupart d'entre nous, à embarquer avec nous notre mentalité presse-bouton. Il est facile d'obtenir un pilotage au cap, il suffit de fournir un cap compas au pilote automatique et d'appuyer sur le bouton. Aujourd'hui, cette solution rencontre la faveur de la plupart des navigateurs. Pourtant cette idylle avec un jouet docile, tourne court la plupart du temps, le premier matin où les batteries se retrouvent complètement à plat. Après avoir entendu de nombreuses histoires affligeantes sur ce thème précis à l'arrivée de la course de l'ARC et autres rallyes transocéaniques, j'ai réussi à convaincre Peter Förthmann de venir à Las Palmas avant le départ de l'ARC pour exposer à nos participants les avantages et les inconvénients du pilotage automatique. Ses présentations et ses stages de formation ont connu un succès immédiat, non seulement parce qu'il connaît son sujet mieux que personne au monde, mais aussi parce qu'il parle aussi bien des pilotes automatiques que des régulateurs d'allures. Il n'a jamais tenté de vendre ses produits et, de cette manière, a toujours su captiver l'intérêt et susciter le respect de son auditoire.

Je suis, par conséquent, très heureux, non seulement qu'il ait suivi mon conseil d'écrire ce livre longtemps attendu, mais aussi qu'il ait réussi à le faire de manière objective et juste en offrant à tous ses concurrents une chance égale de faire connaître leurs produits. Tous les systèmes existants sont décrits dans cet ouvrage, permettant ainsi au lecteur de forger sa propre opinion. De nombreux navigateurs sont d'avis que le régulateur d'allure produit par Windpilot, l'entreprise de Peter, est actuellement le meilleur au monde. Etant à la fois le concepteur et le fabricant de ce système ingénieux, Peter a bien démontré que son nom pouvait figurer parmi les grands précurseurs que sont Blondie Hasler, Marcel Gianoli, Nick Franklin. Ce livre confirme que Peter Förthmann est LE spécialiste mondial des régulateurs d'allure.

Jimmy Cornell

Préface

Qui aurait cru que le monde pouvait autant changer en une seule génération ?

Les voiliers qui, hier encore, étaient à la pointe de la technologie se retrouvent d'un seul coup complètement dépassés. La gamme d'instrumentation et d'équipements mise à la disposition du navigateur s'est accrue de façon spectaculaire. GPS, Inmarsat, balise de détresse, traceur de cartes électroniques, radar et accès à Internet sont désormais choses courantes à bord de nombreux voiliers. Le marché des livres nautiques est, lui aussi, devenu très fertile. Tous les sujets ont été couverts, même ceux restés mystérieux jusqu'ici ont été mis au grand jour. Il est, par conséquent, difficile de croire que le thème de ce livre ait été négligé pendant toute une génération !

Depuis longtemps on attendait un livre sur le pilotage automatique. C'était du moins l'opinion de Jimmy Cornell dont les encouragements m'ont finalement convaincu d'écrire cet ouvrage. Ce fut une décision très difficile à prendre, car il ne peut y avoir de sujet plus délicat pour un fabricant de régulateurs d'allure. Mais, d'un autre côté il ne peut y en avoir de meilleur, car peu de sujets relatifs à la voile sont aussi logiques et intuitifs. Tous les pilotes automatiques dépendent des mêmes principes physiques ; ici il n'y a ni tour de magie ni montagne de théories à affronter.

J'espère que ce livre saura se frayer un chemin dans le flot d'idées qui s'opposent et se contredisent à propos du pilotage automatique. S'il vous épargne les déboires d'une panne de pilote et l'épuisement dû aux heures passées à la barre dans des mers formées, froides et sinistres, le livre aura atteint son but. S'il révèle des lacunes dans votre compréhension du système, ou des faiblesses dans votre choix de pilote automatique, rassurez-vous ; il est préférable de voir ses erreurs maintenant, à l'abri du port, qu'à mi-chemin d'une traversée océanique. Une fois en mer, on doit jouer avec les cartes qu'on s'est données ; une maigre consolation, quand, les bras pesants et les yeux fatigués, vous tournez la barre à roue une fois de plus et scrutez l'horizon en souhaitant qu'il ne reste pas autant de milles à parcourir...

J'aimerais tout particulièrement remercier les personnes suivantes :
Jimmy Cornell, dont j'entends encore les paroles : « *Installe-toi et écris.* »
Jorg Peter Kusserow, mon ami et partenaire en affaires, dont les illustrations enrichissent ce livre.

Et un dernier remerciement à vous lecteur, si vous pensez que ce livre vous a rendu plus sage dans la manière d'envisager des navigations simplifiées... sans pour autant rester à terre !

Peter Christian Förthmann

Introduction

Aussi loin que l'on puisse voir dans l'histoire de l'humanité, les hommes ont toujours pris la mer sur des voiliers, que ce soit pour le commerce, l'exploration ou la guerre. Il a fallu cependant attendre le XXe siècle pour que naisse l'idée qu'un voilier pourrait se piloter tout seul. Dans les années de gloire des clippers, et même en plein dans l'ère moderne, barrer signifiait avoir les mains posées sur la roue. Les équipages étaient nombreux, la main-d'œuvre bon marché, et toutes les tâches sur le pont, dans la mâture et pour le mouillage étaient effectuées manuellement. Là où la force humaine ne suffisait pas il y avait les poulies, les palans et, pour l'ancre, des leviers et un cabestan. Certains navires issus de la dernière génération, engagés dans une bataille sans espoir contre les navires à vapeur, étaient équipés de petits moteurs à vapeur pour assister l'équipage, mais barrer restait un travail strictement manuel. Il y avait trois quarts à la barre et le travail était dur - l'unique solution pour réduire l'effort était d'attacher la barre à l'aide d'un bout. Les grands navires à voiles carrées parcouraient les océans sans le soutien de moteurs électriques ou de systèmes hydrauliques.

Au début du siècle, la navigation de plaisance était exclusivement réservée à l'élite. Le « yachting » était un sport pour les propriétaires richissimes assistés par de nombreux équipiers, et personne n'aurait seulement songé à automatiser la barre, le poste « phare » du bateau.

Le développement rapide du commerce international et des voyages, grâce au triomphe de la vapeur, a progressivement rendu superflu le pilotage manuel. L'année 1950 a vu l'invention du premier pilote automatique.

A compter de cette époque, les puissants pilotes électro-hydrauliques firent rapidement partie de l'équipement standard à bord des nouveaux navires, et bien que la roue ait été conservée, elle devint rapidement secondaire, au profit des nombreux systèmes de commandes automatisées. Les systèmes hydrauliques et électriques furent adaptés à quasiment toutes les tâches, sur le pont et sous le pont des navires de commerce et des bateaux de pêche - depuis les appareils d'acconage et de manutention jusqu'aux cabestans de remontée des filets et d'amarrage, en passant par les guindeaux et les systèmes de manœuvre des panneaux de cale. En peu de temps, le navire était devenu un système complexe à la fois consommateur et générateur d'électricité, disposant de courant électrique en abondance tant que le moteur tournait.

Aujourd'hui, le pilotage des navires de commerce et de pêche est le domaine réservé des pilotes automatiques - un fait qui devrait faire réfléchir tous les adeptes de grandes croisières. L'homme de quart le plus vigilant, à la passerelle d'un navire de fort tonnage filant à 22 nœuds, ne peut empêcher le bateau de poursuivre sa route pendant de longues minutes avant de réagir significativement à l'action du gouvernail. Le délai entre l'apparition d'un navire à l'horizon et le moment où vous le croisez est étonnamment court, particulièrement sur un voilier où l'élévation de l'œil est quasi nulle. Les collisions entre voiliers et cargos, immortalisées par des dessinateurs de revues nautiques comme Mike Peyton, sont gravées dans la mémoire de tous les marins. Des histoires effrayantes paraissent régulièrement dans ces revues et, dans presque toutes, le voilier finit par rejoindre les poissons au fond de l'eau, même s'il arrive souvent que les plaisanciers soient sauvés et que l'histoire se termine bien. L'aventure d'un navigateur solitaire qui, en harponnant un cotre de pêche alors qu'il dormait, renversa involontairement la situation aux dépens de la flotte marchande, attira l'attention de la presse mondiale. Aussi sensationnel que rare, cet incident eut également des suites juridiques.

Ce genre d'incident est une pierre dans le jardin de la navigation en solitaire - aussi conscient du danger soit-il, le skipper doit dormir à un moment ou un autre. Un fait trop souvent négligé est que les navires de commerce sont régulièrement confiés à une seule paire d'yeux pendant de longs quarts de nuit... et, si ces yeux viennent à se fermer, les conséquences possibles sont terrifiantes : un navire fantôme est un immense danger pour n'importe quel marin qui a la malchance d'être au mauvais endroit au mauvais moment.

L'époque du timonier accroché à la barre est quasiment révolue ; le barreur d'acier, non seulement infatigable et fiable, mais bien souvent plus compétent, affranchit l'homme des servitudes du pilotage manuel. Même au long des étroits chenaux de navigation au large de la Suède, les ferries de la Stena Line naviguent à pleine vitesse entre les rochers et parmi les hauts-fonds, livrés à la vigilance mécanisée de la paire formée par le pilote automatique et le signal Decca traité par un logiciel spécifique. L'homme de quart est réduit au rôle de superviseur, rôle qui exige, évidemment, de garder les yeux ouverts !

Poste de barre du trois-mâts carré russe Sedov.

1 • Histoire du pilotage automatique

La croisière hauturière à la voile en équipage réduit commença avec quelques courageux pionniers et en tout premier lieu, Joshua Slocum et son légendaire *Spray*. L'histoire veut que le capitaine Slocum pouvait tenir un cap relativement stable grâce à un ingénieux système de réglage des voiles ou simplement en attachant fermement la barre à roue. Cette méthode sacrifiait une part importante de la puissance de la voilure au réglage de la barre et, de plus, le *Spray* jouissait d'une exceptionnelle stabilité de route grâce à sa quille presque aussi longue que la ligne de flottaison.

Dans une lettre adressée à *Yachting Monthly* (revue nautique britannique) en 1919, Hambley Tregning expliqua comment asservir la barre à une girouette. Tout de suite après la publication de cette lettre, les adeptes du modélisme équipèrent leurs bateaux de systèmes de pilotage commandés par le vent. Ils découvrirent qu'ils pouvaient obtenir d'excellents résultats, même avec la plus simple des connexions mécaniques entre la barre et la girouette. Cependant, l'application de ce type de système sur les bateaux grandeur nature échoua car les forces générées par une girouette sont trop faibles pour lui permettre d'agir directement sur la barre d'un voilier.

Le premier régulateur d'allure

Ironiquement, le premier régulateur d'allure fut installé sur un bateau à moteur. Le Français Marin Marie utilisa une girouette surdimensionnée reliée à la barre par des drosses pour gouverner son *Arielle,* un bateau de 14 m, durant sa mémorable traversée de l'Atlantique réalisée en 18 jours, en solitaire, entre New York et Le Havre en 1936. Son régulateur d'allure est aujourd'hui exposé au Musée de la Marine de Port Louis.

En 1955, le navigateur britannique Ian Major emmena *Buttercup* en solitaire, d'Europe jusqu'aux Antilles, en utilisant une petite girouette reliée à un aileron appelé fletner monté sur le safran principal. Ce système était l'option la plus courante à l'aube du pilotage automatique.

C'est également en 1955, que l'Anglais Michael Henderson monta une création personnelle, surnommée « Harriet, la troisième main », sur son fameux 17-pieds *Mick the Miller.* Sa technique consistait à maintenir le safran principal dans l'axe du bateau et à utiliser la girouette pour manœuvrer un second safran plus petit. Ce système montra une étonnante efficacité ; il était capable d'assumer la moitié des tâches de pilotage.

En 1957, à bord de *Marie Thérèse II*, en se basant sur le système inventé par Marin Marie, Bernard Moitessier utilisa également un fletner. A partir de 1965, il équipa son *Joshua* d'une version simplifiée du même système. Dans cette seconde version, l'aérien était directement fixé sur l'axe du fletner.

Le coup de canon de départ de la première Ostar (Observer Singlehanded Transaltlantic Race) à Plymouth, le 11 juin 1960, marque le véritable début de l'histoire du régulateur d'allure. Sans l'aide de celui-ci, aucun des cinq concurrents – Francis Chichester, Blondie Hasler, David Lewis, Valentine Howells et Jean Lacombe – n'aurait pu atteindre la ligne d'arrivée.

Le premier régulateur d'allure de Francis Chichester, baptisé *Miranda*, se composait d'un aérien surdimensionné (presque 4 m^2) et d'un contrepoids de 12 kg, le tout directement relié à la barre par un système de drosses et de poulies. Le comportement anarchique amena rapidement Chichester à envisager de modifier le rapport entre les surfaces de la girouette et du safran.

A bord de *Jester*, Blondie Hasler, lui, utilisait le premier régulateur servo-pendulaire à engrenage différentiel. David Lewis et Valentine Howells disposaient tous deux d'un simple fletner relié à la girouette, quant à Jean Lacombe, il utilisait lui aussi un système à fletner, développé en collaboration avec Marcel Gianoli, et qui se caractérisait par un rapport de transmission variable.

Hasler et Gianoli, un Anglais et un Français, jouèrent un rôle important dans le développement du régulateur d'allure. Les principes qu'ils établirent sont encore utilisés de nos jours, et nous étudierons leurs systèmes respectifs un peu plus loin.

En 1964, pour la seconde Ostar, tous les concurrents étaient encore une fois équipés de régulateurs d'allure, six d'entre eux avaient opté pour le système servo-pendulaire déjà produit en petite série par Hasler à cette époque. Les régulateurs d'allure furent également l'équipement quasi-standard de la « Round Britain Race » en 1966 et 1970 car, à cette époque, les pilotes automatiques étaient encore interdits dans cette épreuve.

Le nombre de participants à l'Ostar 1972 fut si important que l'organisation fixa à cent le nombre maximum de bateaux inscrits en 1976. Les pilotes automatiques étaient autorisés, mais leur alimentation en énergie électrique par un moteur inbord ou par un générateur était interdite. La plupart des concurrents utilisaient des régulateurs d'allure de fabrication professionnelle. Le parc des systèmes de pilotage automatique se répartissait comme suit : 12 régulateurs d'allure Hasler, 10 Atoms, 6 Aries, 4 Gunning, 2 QME, 2 pilotes automatiques, 2 systèmes à safran auxiliaire, 2 Quartermaster et 1 système Hasler à fletner. L'augmentation du nombre de grandes courses en solitaire et de croisières hauturières en équipage réduit, dont aucune n'aurait été possible sans régulateur d'allure, stimula le développement professionnel et la construction d'une gamme de modèles très variés en Angleterre, en France, en Italie et en Allemagne. Les pionniers de la première vague sont encore des noms connus de nos jours : Hasler, Aries, Atoms, Gunning, QME et Windpilot.

Plusieurs facteurs contribuèrent au développement rapide des régulateurs d'allure, en particulier le miracle économique de l'après-guerre, l'augmentation du nombre de bateaux construits en série, le changement des méthodes de construction qui vit la diminution spectaculaire de la construction en bois à l'unité au profit de la production en série à partir de matériaux modernes. La voile quitta son statut de sport réservé à l'élite et à une minorité de solitaires farouches, pour devenir de plus en plus populaire.

Les premières entreprises à produire des régulateurs conçus et construits de manière professionnelle firent leur apparition en 1968 en Grande-Bretagne, en France et en Allemagne. Les Pays-Bas suivirent peu de temps après. 1962 : Blondie Hasler, Hasler. 1962 : Marcel Gianoli, MNOP. 1968 : John Adam, Windpilot. 1968 : Peter Beard, QME. 1968 : Nick Franklin, Aries. 1970 : Henri Brun, Atoms. 1970 : Derek Daniels, Hydrovane. 1972 : Charron/Waché, Navik. 1976 : Boström/Knöös, Sailomat.

Le premier pilote automatique de cockpit

Les premiers pilotes automatiques électriques pour navires autres que des navires de commerce firent probablement leur apparition aux Etats-Unis. La production du premier Tillermaster, pilote automatique miniaturisé développé pour des petits bateaux de pêche, commença en 1970.

L'ingénieur britannique, Derek Fawcett, ancien Directeur technique de Lewmar, lança la marque Autohelm en 1974. Autohelm prit rapidement la tête du marché mondial, grâce au succès fulgurant de ses modèles à vérin mécanique. Ces systèmes étaient produits en grande série dans une usine dont l'effectif atteignit rapidement deux cents personnes.

Régulateur d'allure servo-pendulaire Hasler sur un Sparkman & Stephens 30.

2 • Régulateur d'allure et pilote automatique

Le but de ce livre est d'étudier le fonctionnement de différents systèmes, les aspects positifs et négatifs de chacun, et d'aider ainsi le lecteur à faire le meilleur choix en fonction de ses besoins personnels. Les deux principales catégories de systèmes de pilotage automatique sont le régulateur de cap (plus souvent appelé pilote automatique) et le régulateur d'allure. Les pilotes automatiques sont des systèmes électromécaniques asservis à un signal émis par un compas. Les régulateurs d'allure utilisent la puissance du vent et de l'eau et maintiennent le bateau à une allure constante par rapport au vent. Nous étudierons ces deux types de systèmes à tour de rôle.

Un voilier avance du fait de sa position et de l'orientation des voiles par rapport au vent ; si les voiles sont mal réglées, il n'avance pas. La parfaite adéquation du régulateur d'allure au pilotage d'un voilier s'explique par ce simple rapport. L'angle par rapport au vent apparent, utilisé par le régulateur, est précisément celui qui fait avancer le bateau. Une fois cet angle établi, le bateau est stable sur sa route. Les avantages du pilotage asservi à l'angle du vent sont particulièrement sensibles aux allures de près. Chaque évolution du vent, même légère, est immédiatement convertie en changement de cap conservant ainsi un rendement optimal à la voilure.

Pourquoi un pilote automatique ?

Simplement parce que les pilotes automatiques sont compacts et discrets. Lorsqu'on a dans l'idée d'acheter un système de pilotage automatique, le seul facteur important jouant en défaveur des régulateurs d'allure est, peut-être, leur apparence incongrue. Ils sont généralement grands et encombrants et n'ont rien de l'ornement idéal pour le tableau arrière. De plus, certains sont difficiles à manier, lourds et se transforment en appendices gênants lors des manœuvres de port.

En revanche, les pilotes automatiques sont quasi invisibles dans le cockpit, les plus gros systèmes étant même complètement cachés sous le pont. Une fois installés, ils sont simples à utiliser, ne nécessitant que la connaissance et la maîtrise de quelques boutons. Les pilotes automatiques de cockpit sont légers, généralement peu onéreux et ils suivent un cap compas. Pour certains navigateurs, il s'agit là d'arguments irrésistibles ; les pilotes automatiques étaient voués au succès.

Pendant de nombreuses années, le monde des navigateurs s'est divisé en deux groupes. Dans les années 70, les régulateurs d'allure représentaient l'équipement standard à bord des bateaux de grande croisière, où ils étaient indispensables. Ils ne furent installés sur des bateaux de vacanciers ou d'amateurs de voile du week-end que dans des cas exceptionnels (et encore, nombre d'entre eux n'étaient là que pour la part de rêve qu'ils représentaient !)

Ce Koopmans de 65 pieds est barré à la fois par un pilote automatique et un régulateur d'allure.

Ces vingt-cinq dernières années ont vu se développer des débats pour le moins passionnés entre supporters des deux systèmes. Un des éléments du désaccord fut l'insistance mise par certains à soutenir que les bateaux de plusieurs tonnes pouvaient « facilement » être pilotés en consommant moins d'un ampère/heure. Aujourd'hui, on est plus réaliste. Les lois de la physique sont incontournables : chaque « sortie » (force de pilotage) exige une « entrée » (courant/énergie). Qui pourrait oublier la loi de « *la Conservation de l'énergie* » du cours de Sciences Physiques du collège ?

3 • Les pilotes automatiques

Les avancées technologiques de l'électronique et en particulier l'explosion de l'utilisation des semi-conducteurs dans les années 60 ont permis la conception et la miniaturisation d'appareils électroniques. Ainsi les gros systèmes jusque-là réservés aux unités importantes de la marine professionnelle ont laissé la place à des appareils beaucoup plus souples et compacts adaptables à tous types de bateaux. Les pilotes automatiques sont un exemple spectaculaire de cette évolution en matière d'électronique de navigation. Pour la première fois un moteur électrique, un capteur (compas) et un calculateur ont été réunis sous un boîtier unique, qui a pu être installé dans un cockpit de bateau de plaisance de petite taille. Mieux encore, l'appareil a fonctionné de manière satisfaisante tout en générant une dépense d'énergie supportable par le système électrique du bord.

Après une description du principe de fonctionnement des pilotes automatiques, ce chapitre décrit les différents types de pilotes automatiques, du simple pilote de cockpit pour barre franche jusqu'aux systèmes très sophistiqués de pilotes internes désignés généralement sous l'appellation de pilotes inbord et agissant directement sur le système de gouvernail après la barre. La fin du chapitre est consacrée à des remarques générales sur les contraintes et les précautions à observer lors de l'installation du pilote automatique

Principe de fonctionnement

A la différence du régulateur d'allure, qui est asservi mécaniquement à un aileron aérien, le pilote automatique est contrôlé par un ou des capteurs électroniques qui envoient des données d'état au pilote qui lui-même agit directement sur le système de barre. Le capteur émet les données, le calculateur compare en permanence ces données et les données de référence, et remet le bateau en conformité avec les paramètres programmés dès que l'écart avec ceux-ci atteint une valeur supérieure à celle que l'utilisateur a indiquée au pilote.

Pour réaliser la chaîne des informations et des actions décrites ci-dessus, le pilote utilise ses quatre composants majeurs : les capteurs de données, le calculateur, le pupitre de commande et l'unité de puissance. Ces éléments de base peuvent être regroupés sous un même boîtier comme c'est le cas de la plupart des pilotes de barre franche de cockpit, ou séparés en divers modules en fonction des contraintes d'installation et de fonctionnement spécifiques à chaque pilote et à chaque bateau, mais ils sont obligatoirement présents dans tous les cas.

Le fonctionnement du pilote automatique est un compromis entre plusieurs critères :
a) La puissance de la poussée du pilote sur la barre.
b) La vitesse de déplacement de l'unité de puissance.
c) La consommation électrique du pilote.

Le paramètre le plus important dans le fonctionnement d'un pilote automatique est le rapport entre consommation d'énergie et les performances à la barre. Ce rapport dépend étroitement de l'équilibre entre les trois facteurs mentionnés plus haut. En première analyse, il semble impossible d'obtenir des performances de barre maximales avec une consommation d'énergie minimale.

Pour optimiser l'utilisation du pilote, il faut donc résoudre le dilemme qui oblige à choisir entre le développement d'une force relativement faible à haute vitesse ou d'une force importante à basse vitesse (ce qui revient au concept de la boîte de vitesse d'une voiture capable de monter une côte en première mais pas en quatrième).

C'est la puissance du moteur du pilote automatique qui établit la relation entre la force de poussée et la vitesse de déplacement du vérin. La majorité des fabricants de pilotes automatiques basent leurs produits sur une vitesse de rotation du moteur constante, configuration qui a largement fait ses preuves. Les pilotes automatiques à vitesse variable sont très peu nombreux car cette variation ne peut qu'être très faible. En effet, un trop grand ralentissement du vérin s'il en augmente significativement la capacité de poussée, diminue trop fortement la vitesse de correction du cap et rend le bateau trop peu manœuvrant.

La puissance est donc le premier critère de sélection d'un pilote automatique. Pour ce faire il faut déterminer le couple maximal du safran à partir de sa surface, du rapport entre la hauteur et la largeur

(A et B), de la compensation de barre (rapport entre la distance C séparant l'axe de la mèche et le bord d'attaque du safran et la largeur totale du safran B), et du potentiel de vitesse du bateau. Le couple de barre peut également être calculé empiriquement, c'est-à-dire en mesurant physiquement au dynamomètre la force appliquée par le safran sur la barre franche ou sur le secteur de barre. La règle de base est de choisir systématiquement un pilote automatique dont la puissance maximale excède au moins légèrement le couple maximal du safran. Sur un bateau à déplacement relativement lourd, les performances d'un pilote de faible puissance seront pour le moins aléatoires. De même, un pilote fonctionnant en permanence en limite de capacité doit impérativement être remplacé par une unité de plus forte puissance. En revanche, un pilote surdimensionné ne consommera en plus de son inertie propre, que la puissance demandée par la barre. Dans tous les cas, il est impératif de contrôler que la batterie et le réseau électrique sont capables de supporter la consommation d'énergie du pilote en continu et en crête.

Il suffit d'appuyer sur le bouton « auto » du pilote avant de lâcher la barre et de vaquer à autre chose...

Les quatre éléments du pilote automatique

Comme on l'a vu plus haut, chaque pilote automatique se compose au minimum d'un pupitre de commande, d'un capteur de données, d'un calculateur et d'une unité de puissance. Chacun de ces éléments se présente sous diverses formes et peut dans certains cas être fractionné ou même être partagé avec d'autres appareils. Par exemple, sur les grosses unités, il suffit de raccorder à l'unité de puissance (pompe et vérin hydrauliques, indicateur d'angle de barre) d'un système de barre motorisée, les trois autres éléments : capteur, calculateur et pupitre de commande, pour créer le système de pilotage automatique du bateau. S'ils peuvent être séparés, les éléments du pilote peuvent également être regroupés au sein d'un boîtier unique comme c'est le cas de la plupart des pilotes de barre franche pour petits bateaux et de certains pilotes inbord.

Le pupitre de commande

Dans sa version la plus basique, le pupitre de commande est un simple clavier intégré au pilote automatique composé de quatre à cinq touches regroupant la totalité des commandes nécessaires au fonctionnement du pilote. Dans sa version la plus sophistiquée c'est un véritable tableau de bord comportant un clavier et un afficheur permettant de connaître en permanence l'état du pilote et autorisant souvent l'affichage des données en provenance de nombreux appareils connectés au réseau du bord. La fonction de pupitre de commande peut enfin être intégrée à une unité de commande centralisant toutes les fonctions du réseau du bord. Les fabricants les plus importants d'électronique proposent souvent un pupitre multifonctions qui permet la commande et l'affichage des données comme dans les gammes Sea Talk d'Autohelm ou Corus de Simrad, ou encore des centrales de navigation qui regroupent les fonctions de positionneur, de cartographie électronique, de livre de bord, de commande du pilote etc. La tendance à relier tous les instruments à un pupitre de commande unique est encore renforcée par le développement de l'informatique embarquée, et de nombreux logiciels de navigation permettent maintenant de piloter toute l'installation électronique du bord y compris le pilote automatique, depuis le PC du bord.

Les commandes des pupitres de commande sont généralement activées par des boutons poussoirs (Autohelm ou Simrad) associés ou non à des boutons moletés (Robertson ou Cetrek).

Pupitre de commande à boutons poussoirs du pilote Robertson AP11.

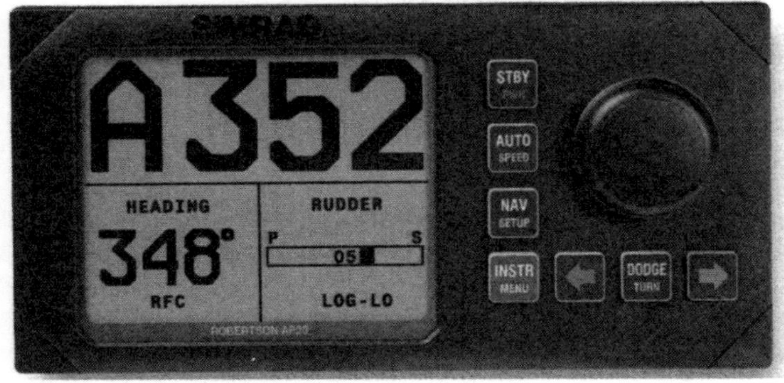

Pupitre de commande à boutons moletés du pilote Robertson AP20.

L'afficheur, quand il existe, donne en général les mêmes informations avec plus ou moins de détails en fonction de la sophistication du programme de gestion du pilote et de la taille de l'écran. Ici encore, l'afficheur peut être intégré au boîtier du pilote de cockpit (Autohelm 1000) ou séparé de celui-ci. Dans le premier cas, il ne donne en général qu'une indication de cap accompagnée ou non d'un index d'écart de cap et de l'indication de l'origine de la référence de barre (compas, girouette ou positionneur). L'affichage LCD à contraste élevé pâlit relativement vite s'il est exposé au soleil de façon excessive ce qui, outre la difficulté de lecture, limite le développement des afficheurs sur les boîtiers de pilotes de cockpit intégrés. Les derniers écrans à cristaux liquides et, en particulier, les écrans couleurs à matrice active annulent au moins partiellement cet inconvénient. Cependant leur coût reste élevé en regard du nombre restreint d'informations à afficher sur un écran dédié au pilote automatique. Leur utilisation pour la gestion du pilote automatique n'est, pour le moment, effective que dans les systèmes intégrés à écran multifonctions. La plupart des afficheurs dédiés sont séparés des pilotes et montés verticalement dans le cockpit ou à la table à cartes.

L'afficheur est toujours associé à un pupitre de commande, ce qui permet de contrôler le pilote depuis plusieurs points du bord. Par ailleurs, quand le pilote automatique est activé depuis un afficheur polyvalent celui-ci se verrouille généralement sur la fonction pilote (Corus par exemple) de sorte que celle-ci soit toujours directement accessible depuis un pupitre du bord au moins. En d'autres termes, les concepteurs ont prévu, pour des raisons évidentes de sécurité, de rendre impossible le fonctionnement du pilote en aveugle c'est-à-dire sans qu'aucun pupitre de commande ne lui soit dédié pendant qu'il est actif.

Aux répétiteurs s'ajoutent les télécommandes qui offrent encore plus de liberté pour se déplacer sur le pont, ainsi que les joysticks qui permettent un contrôle direct de l'unité de puissance, transformant celle-ci en motorisation de barre.

Les fonctions du pupitre de commande. Les pupitres de commande des premiers pilotes automatiques fabriqués pour la plaisance se composaient le plus souvent d'un gros bouton rotatif sur lequel était imprimée une rose des vents. Ce bouton, en agissant sur un compas optoélectronique intégré, permettait de régler le cap à suivre. Cette molette était complétée par un bouton de marche/arrêt et par deux autres boutons rotatifs qui réglaient la rapidité et la quantité de réponse du pilote aux écarts de cap en fonction de l'état de la mer (Sea) et de la vitesse de réaction de la barre aux mouvements du bateau (Rudder).

Les capteurs

L'apparition des compas « fluxgate » (à vanne de flux) et le développement des microprocesseurs ont considérablement simplifié les commandes et les réglages manuels des pilotes. Les paramètres comme l'état de la mer et le temps de réponse du bateau se règlent automatiquement. Par contre de nouvelles fonctions sont apparues comme le virement de bord automatique (fonction Tack) et les modifications de cap par pas fixes de 1 ou 10°. En plus du compas, de nombreux pilotes de première génération pouvaient être asservis à une girouette dédiée, les pilotes modernes sont pour la plupart interfaçables à une girouette électronique et à un positionneur, le choix de la référence de barre étant effectué depuis le pupitre de commande.

Le compas. Le seul capteur de données dont disposaient les tout premiers pilotes était un compas optoélectronique : à l'heure actuelle ce compas est remplacé par un compas Fluxgate (compas à induction terrestre) beaucoup plus fiable et précis.

Le compas optoélectronique. Il est construit à partir d'un compas magnétique standard. La rose graduée est remplacée par du disque opaque dont le rayon est légèrement augmenté sur un secteur déterminé de sa périphérie. En dessous et au-dessus de ce disque sont disposées une source lumineuse et une cellule photoélectrique. Quand la fenêtre de la rose passe sous la source lumineuse, le rayon de celle-ci frappe la cellule photoélectrique qui déclenche la mise en rotation du moteur du pilote. Le sens de rotation du moteur et donc de correction de cap, est déterminé par le sens de pivotement de la rose précédant l'activation de la cellule.

Face à la relative simplicité du principe de fonctionnement, ce système présente un certain nombre d'inconvénients à commencer par sa relative fragilité. Le compas magnétique classique servant de capteur de base est sujet à tous les phénomènes d'usure liés au frottement de l'axe de la rose sur son pivot. L'axe de manœuvre de la rose, piloté depuis l'extérieur du boîtier, présente les problèmes d'étanchéité inhérents au passage d'une cloison par un arbre en mouvement. La temporisation des réactions du pilote en fonction de l'état de la mer ne peut être qu'un allongement du délai de réaction propre à l'appareil et généré par l'inertie du compas et la largeur du secteur obscur de la rose. En enfermant un compas optoélectronique sous un boîtier unique avec les autres composants du pilote il devient très difficile de concevoir un système de compensation dudit compas. Cette lacune, sans grande conséquence dans les zones où la déclinaison magnétique est insignifiante, présente un réel danger pour la navigation dans les zones où elle devient significative. Enfin pour garantir une stabilité suffisante du compas il faut accepter que son diamètre soit relativement élevé ce qui augmente encore l'encombrement du pilote.

Le compas Fluxgate. Les compas Fluxgate, en français : compas à induction terrestre, ont fait leur apparition au milieu des années 80 dans les appareils destinés à la navigation de plaisance. Directement issus de la recherche spatiale, ils présentent un nombre considérable d'avantages par rapport à leurs aînés. Abandonnant le principe d'une aiguille aimantée attirée par le nord magnétique, ils fonctionnent par mesure de l'amplitude et de la direction du champ magnétique terrestre relativement à la ligne de foi compas. Cette caractéristique se traduit par la disparition de toutes pièces en mouvement à l'intérieur du compas et par une miniaturisation à l'extrême de la partie capteur elle-même qui ne dépasse pas 35 mm de diamètre.

La transmission de données sous forme numérique depuis un capteur statique permet en outre l'enfermement de ce dernier dans un boîtier totalement étanche avec pour effet bénéfique majeur de réduire considérablement l'exposition de l'appareil aux agressions du milieu ambiant. Les capteurs sont donc souvent de petits boîtiers aveugles desquels dépasse un simple câble de connexion.

La capacité d'auto-compensation est un autre avantage et non des moindres, du compas Fluxgate. A partir d'une séquence de touches ou d'une commande directe qui lancent la fonction, il suffit d'effectuer deux ou trois rotations sur 360° à vitesse constante de 2 ou 3 nœuds, par mer calme et loin de toute masse à fort champ magnétique (pont métallique ou grand navire par exemple) pour que le compas accomplisse une procédure d'auto-compensation extrêmement fiable et précise. Le compas du pilote devient alors plus fiable que le compas de route magnétique dont la compensation, en raison de sa complexité technique, est souvent négligée par les plaisanciers. Pour entretenir cette précision il suffit de refaire régulièrement ce réglage, au moins une fois par saison ou dès qu'un nouvel appareil est installé à bord.

L'unique contrainte mécanique imposée aux compas Fluxgate est de rester le plus possible dans le plan horizontal. En effet, ils perdent toute leur fiabilité dès que la gîte dépasse un angle relativement faible. La plupart des capteurs compas Fluxgate sont donc suspendus sur cardan et pour certains, leurs mouvements sont amortis par un bain d'huile.

A cette contrainte mécanique s'ajoute une distance minimale de 80 cm par rapport à tout objet magnétique ou câble électrique. Cette distance est portée au minimum à 1,20 m pour les émetteurs radio et les câbles d'antenne.

Le Gyrocompas. Il vient compléter la gamme des compas équipant les pilotes automatiques. Longtemps réservés à la marine professionnelle, ils sont de plus en plus fréquemment présents sur les grandes unités de plaisance. Dans son principe, il s'agit d'un compas de navigation stabilisé à l'aide d'un gyroscope, ce qui le met à l'abri des perturbations provoquées par les mouvements du bateau.

Sa stabilité est basée sur le principe du gyroscope. A la mise en marche, le compas est axé sur le nord vrai et il garde cette orientation quels que soient les mouvements du bateau.

L'avantage majeur du gyrocompas réside dans la lecture dynamique du cap comparativement à la lecture passive caractérisant les compas magnétiques ou fluxgate. Il en résulte une absence d'influence de la déclinaison magnétique locale et des masses métalliques du bord sur la précision de l'instrument, et surtout une grande stabilité des indications même par gros temps, là où les autres compas voient diminuer rapidement la fiabilité des informations qu'ils transmettent.

Même si le relatif encombrement est un inconvénient tendant à disparaître avec l'apparition de capteurs de plus en plus réduits, la vitesse nécessaire au fonctionnement d'un gyrocompas, proche de 20 000 tours/minute, le rend assez vorace en énergie. La grande fiabilité, la consommation insignifiante, le faible encombrement et le coût relativement modique des compas Fluxgate, sont autant de facteurs qui font obstacle à l'implantation massive des compas gyroscopiques dans les applications à destination de la navigation de plaisance.

La girouette. Lors de l'apparition des premiers pilotes automatiques dédiés à la plaisance, seuls les plus sophistiqués permettaient la connexion d'une girouette dédiée les dotant d'une fonction de conservateur d'allure. Cette girouette était généralement constituée d'une « plume » montée sur un mâtereau d'environ 60 centimètres de long. Il suffisait de faire pivoter manuellement la « plume » de sorte à orienter l'index de référence imprimé à sa base dans la direction de l'angle de vent souhaité. Toute variation de l'angle du vent faisait pivoter la girouette. Celle-ci déplaçait alors l'aimant contenu dans sa base sur les contacteurs magnétiques inclus dans le mâtereau. Ces contacteurs provoquaient la mise en rotation du moteur du pilote dans le sens de la correction à apporter à l'allure du bateau.

Ce dispositif présentait l'avantage d'une grande simplicité de fonctionnement. En revanche cette simplicité même en limitait sérieusement les possibilités d'utilisation. S'ils sont très fiables, les contacteurs magnétiques ne permettent aucun réglage de sensibilité. Ainsi, il n'était pas possible de modifier l'écart angulaire à partir duquel le pilote corrigeait l'allure du bateau, ni de temporiser la réaction du pilote. Les fabricants établissaient donc un angle moyen, trop étroit par mer formée aux allures portantes, et trop large par mer calme et vent constant.

Par ailleurs la fixation du mâtereau sur le balcon arrière l'exposait à de nombreux risques de détérioration et ne permettait pas à la « plume » d'être en permanence dans un flux d'air à écoulement laminaire.

Le développement des systèmes de mise en réseau des appareils comme entre autres Corus de Simrad, Sea-Talk d'Autohelm, ou encore Nexus de Silva, a permis d'offrir la possibilité d'asservir le pilote automatique à la girouette anémomètre du bord. Cette configuration présente de nombreux avantages. En premier lieu elle augmente significativement l'intérêt de la girouette électronique qui passe du rôle de simple source d'informations pour le navigateur à celui de capteur dynamique permettant l'asservissement direct d'une fonction capitale de navigation. Outre la polyvalence conférée à l'instrument par cette fonction, la position du capteur en tête de mât le met à l'abri des risques et des turbulences générés par la proximité du pont. De plus, partie intégrante d'un système complet de navigation électronique, tous les pilotes raccordés à une girouette bénéficient des réglages fins de temporisation et de valeur de la réaction à appliquer à une modification de l'allure dans une situation donnée. Ainsi il sera possible d'augmenter le délai de réaction par mer formée ou de régler la quantité de correction de barre à appliquer en fonction du type de coque sur lequel le pilote est installé.

Le calculateur

Le calculateur est le véritable cerveau du pilote automatique. Il reçoit les informations des divers capteurs, enregistre les ordres saisis au clavier du pupitre de commande, intègre les divers paramètres extérieurs comme l'état de la mer ou la dérive et enfin déclenche la mise en marche de l'unité de puissance pour corriger le cap du bateau dans un sens ou dans l'autre. Totalement intégré dans les pilotes de cockpit à boîtier unique, il est présenté sous forme d'une boîte noire équipée de bornes de connexion dans les systèmes plus sophistiqués, il peut enfin être un logiciel intégré à un système de navigation complet piloté par micro-ordinateur embarqué. Dans les gros systèmes, il peut être le seul élément réellement dédié au pilote automatique, en effet pour toutes les autres fonctions, le pilote automatique peut parfois utiliser des éléments déjà installés : capteur fluxgate du compas de route, aérien de la girouette anémomètre, positionneur GPS pour la partie capteur, moniteur multifonctions pour l'affichage des données et le pupitre de commande, système de barre hydraulique pour l'unité de puissance.

Le calculateur des pilotes de cockpit n'a pas besoin d'informations supplémentaires à celles transmises par les capteurs indiqués plus haut. En effet, quand il n'est pas en fonction, le pilote est déconnecté manuellement par l'opérateur et on considère que la barre est alignée dans l'axe du bateau lorsqu'on le remet en marche. Par ailleurs, la puissance des pilotes de cockpit rotatifs n'est pas suffisante pour endommager un système de barre lorsque le moteur continue à tourner alors que le safran arrive en butée d'un bord ou de l'autre.

Le problème est tout à fait différent pour les pilotes inbord dont la désactivation ne fait que débrayer l'unité de puissance qui suit alors les mouvements du safran initiés par le barreur. Ainsi, lorsque vous réactivez le pilote automatique le système ignore totalement la position de la barre. Ce problème n'existe pas avec les unités de puissance rotatives pour lesquelles le nombre de tours de butée à butée et le point zéro sont programmés lors de l'installation du pilote. Cependant le fonctionnement du pilote est beaucoup plus sûr si le système dispose d'un moyen de connaître le jeu existant dans le système de barre. Pour résoudre ce problème, les pilotes automatiques inbords sont dotés d'un capteur d'angle de barre. Relié directement au secteur de barre ou au bras de mèche, le capteur d'angle de barre se présente sous deux versions : capteur rotatif ou capteur linéaire.

Les capteurs rotatifs reproduisent le mouvement du bras de mèche ou du secteur de barre. En d'autres termes, le capteur se compose d'un boîtier fixé horizontalement sur un plan perpendiculaire à l'axe de la mèche de gouvernail. Le boîtier porte un arbre parallèle à la mèche. L'arbre est doté d'un doigt horizontal terminé par une rotule. Une biellette entraînée par les mouvements du bras de mèche ou du secteur de barre est fixée sur cette rotule. La biellette oriente le doigt qui fait pivoter l'arbre vertical selon un angle équivalent à celui appliqué au safran. L'angle ainsi déterminé est transformé en signal électrique et transmis vers le calculateur du pilote automatique. La longueur réglable de la biellette simplifie l'installation de ce système par rapport à celle des capteurs linéaires indépendants. Il suffit en effet de disposer le capteur de sorte à créer un parallélogramme déformable qui suive les mouvements de la barre.

Le capteur linéaire ressemble à un vérin hydraulique et il est particulièrement adapté à ce type d'unité de puissance car il suit les mouvements du vérin du pilote. Le montage en reste cependant assez difficile car il faut que les deux vérins, celui de l'unité de puissance et celui du capteur d'angle de barre, s'étendent et se rétractent de manière rigoureusement parallèle pour que l'information transmise au calculateur soit parfaitement fiable. L'installation en est donc très minutieuse et son coût n'est pas sans incidence sur le prix final du pilote monté. La difficulté a été contournée par certains fabricants comme Simrad, qui prévoient le montage du capteur linéaire d'angle de barre directement sur le vérin de l'unité de puissance du pilote automatique. Le capteur est entraîné par les mouvements du vérin, il est donc totalement fiable et facile à installer sans qu'il soit nécessaire de prévoir une articulation sur le secteur de barre et un point fixe spécifique. En contrepartie ce système n'indique l'angle de barre que par analogie à l'état du vérin, il est donc inopérant pour la prise en compte du jeu éventuel de la barre, ce qui peut altérer légèrement les performances du pilote automatique.

L'unité de puissance

Si les capteurs sont les yeux du pilote automatique et le calculateur son cerveau, l'unité de puissance est sa masse musculaire. C'est la partie mécanique du pilote, celle qui agit directement sur la barre. La puissance requise est donc directement fonction des caractéristiques du bateau sur lequel le pilote est monté. En fonction du type de pilote et du système de barre, les unités de puissance peuvent être séparées en 3 grandes catégories : les unités linéaires mécaniques, les unités linéaires hydrauliques, et les unités rotatives.

La caractéristique essentielle commune à toutes les unités de puissance est leur rôle de force motrice faisant appel à l'hydraulique et/ou à l'électromécanique. Ces deux technologies sont très éloignées du domaine de compétence des fabricants d'électronique de navigation. Mis à part le développement par Raytheon de son propre système d'unité de puissance linéaire mécanique, ils font donc souvent appel à des sociétés extérieures pour traiter cet élément du pilote automatique. Les fabricants de système de barre sont les entreprises les plus au fait des contraintes mécaniques subies par les gouvernails. Il n'est donc pas étonnant que les plus importantes d'entre elles aient développé des unités de puissance destinées en tout premier lieu à l'équipement de leur matériel. La société Lecomble et Schmitt, spécialisée dans la fabrication de systèmes de barre hydraulique, propose une série complète d'unités de puissance pour cette application. Goiot propose une unité de puissance rotative et Whitlock a développé une série complète d'unités de puissance rotatives permettant de répondre à la plupart des exigences spécifiques à chaque installation, et une unité hydraulique pour gros systèmes.

Chaque type d'unité de puissance présente des caractéristiques spécifiques, il existe cependant une différence essentielle entre l'ensemble des unités linéaires et des unités rotatives. Les premières agissent directement sur le secteur de barre ou sur le bras de mèche tandis que les secondes agissent sur le système de barre juste après la barre à roue elle-même. Si les deux systèmes peuvent transformer la barre manuelle en barre motorisée, seules les unités linéaires peuvent prendre le relais du système de barre en cas de panne du système manuel. Sur une barre mécanique, en cas de rupture d'une bielle ou d'une drosse de gouvernail, l'unité de puissance linéaire pilotée au clavier ou à l'aide d'un joystick prend le relais de la barre manuelle. Sur une barre hydraulique, on obtient le même résultat par basculement des électrovannes by-pass, ce qui permet d'isoler la pompe manuelle en cas de panne.

L'unité de puissance linéaire mécanique. Dans ce système, le calculateur active un vérin mécanique qui agit directement sur le gouvernail. Un moteur électrique actionne le vérin par l'intermédiaire d'une série de pignons qui démultiplient la vitesse de rotation du moteur. La transmission met en rotation la partie interne d'un vérin télescopique. La rotation de l'axe entraîne le déplacement sur l'axe d'un écrou solidaire de la partie externe du vérin. La liaison entre l'axe et les billes est assurée par la circulation d'une série de billes qui garantissent un fonctionnement régulier sans à-coups. L'axe externe du vérin s'étend ou se rétracte sur l'axe interne en fonction du sens de rotation du moteur. L'extrémité libre du vérin est fixée à la barre, au secteur de barre ou au bras de mèche par une rotule, ce qui empêche la mise en rotation de l'écrou de transmission quand il est entraîné par la partie interne de l'axe. De plus, la plupart des vérins mécaniques, surtout sur les pilotes inbord, sont munis d'un dispositif interne empêchant la rotation du vérin de poussée.

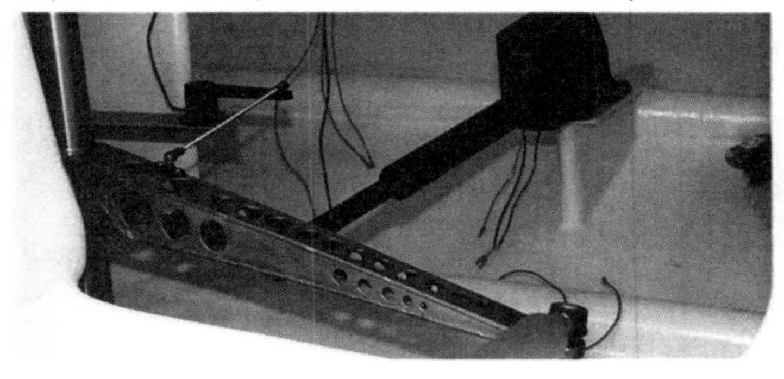

L'unité de puissance linéaire mécanique Autohelm à bord du ULDB de 60 pieds Budapest.

Dans la plupart des cas, le moteur électrique est à vitesse constante. Cette solution offre de nombreux avantages et en particulier la simplicité technique et le coût de fabrication modéré. En revanche ce système est plus gourmand en énergie qu'un système à vitesse variable. C'est à peu près le seul avantage de la vitesse variable car la différence entre la vitesse maximale et la vitesse réduite ne peut qu'être minime. Cet avantage est largement compensé par la temporisation du pilote automatique sur les systèmes à vitesse constante.

L'unité mécanique fonctionne en utilisant directement l'énergie électrique, ce qui élimine les contraintes liées à l'huile hydraulique : étanchéité, raccordement parfois complexe, surveillance du niveau d'huile etc. Autre avantage important quand vous reprenez le contrôle manuel de la barre, l'inertie de l'unité de puissance mécanique est inférieure à celle de l'unité hydraulique. En effet, il suffit de manœuvrer le vérin qui, à cet instant, est débrayé du moteur électrique, alors que l'ouverture des clapets anti-retour du vérin hydraulique se traduit par l'obligation de générer manuellement le flux de liquide hydraulique pour permettre l'orientation du safran selon l'angle voulu. Sans incidence sur les systèmes à barre à roue, cet inconvénient peut s'avérer à la longue éprouvant avec une barre franche. Pour améliorer encore le confort du barreur, Raytheon a mis au point un système réversible de circulation de billes et un train de pignons épicycloïdal qui diminuent encore significativement l'inertie du vérin.

Enfin, dernier avantage, le prix des vérins mécaniques est sensiblement moins élevé que celui des systèmes hydrauliques. Nous verrons cependant ci-après que cette différence de prix est significativement réduite par le fait qu'il est souvent souhaitable de choisir une unité de puissance linéaire mécanique surdimensionnée, ce qui n'est pas le cas pour les unités de puissance hydrauliques.

En contrepartie de ces atouts importants qu'elles possèdent, les unités linéaires mécaniques présentent quelques inconvénients inexistants dans les systèmes hydrauliques.

Le relatif manque de souplesse du système lors de la mise en marche et de l'arrêt du moteur est un facteur supplémentaire d'usure qui engendre également des mouvements de barre plus ou moins brusques. Pour pallier cet inconvénient, les fabricants ont fait d'énormes progrès dans le réglage automatique des pilotes tant en ce qui concerne la valeur de l'angle à donner au safran que la temporisation de la réponse de barre en fonction des conditions rencontrées.

L'usure est le phénomène le plus important. Outre l'augmentation graduelle du bruit généré par l'unité, l'usure se traduit par un jeu de plus en plus important. Pour en limiter et ralentir les effets, il faut donc veiller à la qualité de composants de l'unité de puissance et ne pas hésiter à choisir un modèle largement surdimensionné. Le surcoût généré par ce choix sera compensé par une maintenance plus économique et une longévité accrue.

Le dernier inconvénient majeur des systèmes linéaires mécaniques est le risque de surcharge qui ne peut être compensé que par la présence d'un disjoncteur dans le circuit d'alimentation. Pour éviter les risques d'ouverture intempestive du circuit électrique, il est important d'utiliser un disjoncteur à déclenchement temporisé en fonction de la surcharge encaissée. En cas d'ouverture du circuit, il faudra réarmer le disjoncteur, ce qui demande parfois un certain délai d'attente. Comme les surcharges se produisent rarement par mer calme et conditions de navigation idéales, la durée d'indisponibilité du pilote automatique peut dans ce cas, être particulièrement gênante pour l'équipage. En tout état de cause, il est impératif d'installer un disjoncteur spécifique comme c'est le cas pour tous les instruments dont le fonctionnement est capital ou dont la consommation est suffisamment importante pour justifier cette disposition. Outre le pilote automatique, on peut citer la VHF, le radar, le guindeau électrique, les winchs ou enrouleurs motorisés etc.

Les vérins mécaniques utilisés pour la réalisation de pilotes automatiques inbord ont une puissance comparable à celle de vérins hydrauliques ; il existe cependant une catégorie de vérins moins puissants et plus compacts destinée à réaliser des systèmes de pilotes automatiques pour bateaux à moteurs à embase Z-drive. Ces vérins agissant directement sur l'embase n'ont pas besoin de beaucoup de puissance. Le nombre relativement restreint d'embases Z-drive disponibles sur le marché a permis aux fabricants de pilotes automatiques de proposer des vérins spécifiquement adaptés à chacune d'entre elles, ce qui permet une procédure d'installation relativement simple. Par ailleurs tous les fabricants proposent des bielles entre embases pour les bateaux à double motorisation.

L'unité de puissance linéaire hydraulique. Le vérin est activé par une pompe hydraulique dont le flux d'huile est orienté dans un sens ou dans l'autre au moyen d'une électrovanne. Ce système est utilisé sur les bateaux dont le gouvernail est soumis à des efforts importants. Les pompes hydrauliques sont montées séparément comme sur Autohelm, Raytheon ou VDO, incorporées au cylindre (B & G, Simrad Robertson). Robertson propose aussi le « dual drives » dans lequel deux unités linéaires doublent la poussée disponible (elles sont reliées au même pupitre de commande). Les unités hydrauliques sont protégées contre la surcharge par le « coussin d'huile » inhérent aux systèmes hydrauliques qui garantit une montée en pression relativement progressive du système. Ce délai dû à la viscosité de l'huile et à la relative souplesse des tuyauteries est suffisant pour obtenir une certaine douceur de fonctionnement. C'est donc un système souple à poussée régulière.

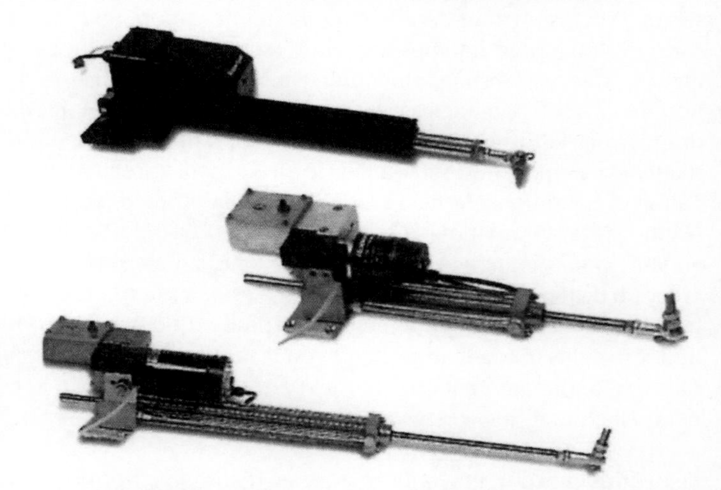

Les unités de puissance linéaires hydrauliques Robertson.

Par ailleurs le système fonctionne par variation du volume d'huile dans le cylindre du vérin, et non par rétractation du vérin extérieur sur l'arbre interne. L'extrémité libre de la tige du vérin dépasse donc à l'arrière de l'unité lors de la rétractation (vérin simple tige), sauf si le système est équipé d'un vérin double tige qui se caractérise par l'absence de dépassement de la tige à l'arrière du cylindre mais également par une plus grande longueur. Dans un cas comme dans l'autre, l'encombrement total est presque identique et toujours inférieur à celui des unités linéaires mécaniques. Il faut donc installer les vérins simple tige à une hauteur permettant de disposer d'un dégagement suffisant pour que le vérin ne vienne pas au contact de la coque lors de sa rétractation. Grâce à sa position en extrémité du cylindre, la fixation du vérin double tige est située plus près de la coque, ce qui diminue le couple d'arrachement du support lorsque le pilote est actif et évite d'avoir à tenir compte du dépassement de la tige dans le choix de la position du point fixe. Cet avantage n'est pas le plus significatif des vérins double tige. Sans entrer dans une description technique compliquée, il faut cependant retenir que la circulation d'huile dans un sens comme dans l'autre est beaucoup plus rapide dans un vérin double tige. Cette caractéristique a pour conséquence d'augmenter la douceur de fonctionnement du système et d'en réduire significativement l'inertie. Sur les systèmes hydrauliques, les phénomènes d'usure sont négligeables et sans conséquence sur le fonctionnement de l'appareil. Il suffit de disposer à bord d'un kit de joints de rechange.

Unité de puissance à pompe hydraulique. Le système à pompe hydraulique permet de transformer une barre hydraulique manuelle en pilote automatique ou en barre motorisée. La pompe électrique se branche directement en créant une dérivation sur le système de barre hydraulique du bord et commande les mouvements du vérin déjà installé. Sur les bateaux de plus de 25 tonnes on utilise la pompe du système de barre qui fonctionne en continu. Dans ce cas, il suffit de raccorder le calculateur à la pompe existante pour obtenir une fonction pilote automatique. Ces systèmes à fonctionnement continu ont une consommation électrique relativement élevée, mais ce phénomène est inhérent au système de barre et le pilote n'ajoute en rien à la dépense d'énergie globale.

Avant d'ajouter une fonction pilote automatique à un système de barre hydraulique manuelle existant, il faut en premier lieu vous assurer de la présence d'un clapet anti-retour en sortie de la pompe manuelle. En effet, dans le cas contraire, le moteur de l'unité de puissance risquerait de mettre en rotation la barre à roue plutôt que de modifier l'angle du safran. Ce clapet anti-retour est obligatoirement présent si le bateau est équipé d'une barre hydraulique double poste, ou d'une barre hydraulique motorisée.

L'unité de puissance à moteur rotatif. Dans ce système, la totalité du système de barre est actionnée par un moteur électrique dont l'arbre de sortie est équipé d'un pignon entraînant une chaîne. Cette dernière entraîne le mécanisme de barre par l'intermédiaire d'un second pignon. On choisit ce système quand l'installation d'autres unités de puissance est rendue impossible par le manque de place ou par la configuration du système de barre à bord d'anciens voiliers.

Whitlock est un fabricant d'appareils à gouverner qui est leader sur le marché des directions à transmission par bielle. Ce système simple et fiable, présente en outre l'avantage de réduire le nombre de renvois et donc celui des sources de jeu. Pour répondre aux besoins du marché, Whitlock a mis au point une unité de puissance mécanique qui se raccorde directement sur la transmission de barre sous le pont. Il reste alors à installer les autres éléments du pilote automatique. Ce système est compatible avec la plupart des éléments de pilotes automatiques des grandes marques d'électronique de navigation.

Avantages et inconvénients des différents types d'unités de puissance. Chaque type d'unité de puissance présente des avantages spécifiques soit dans le confort d'utilisation qu'il apporte soit dans son adéquation à l'architecture du bateau. Ce paragraphe expose les avantages généraux de chaque type de système. Un éclairage particulier est donné sur les caractéristiques propres à un système donné chaque fois qu'elles apportent une solution à un ou plusieurs problèmes inhérents au type de système employé. Cet ouvrage ne prétend cependant pas donner une liste exhaustive des avancées technologiques de tous les fabricants de pilotes automatiques, ne serait-ce qu'en raison des améliorations permanentes qu'ils apportent à leurs produits. Il convient donc, une fois déterminé le type d'unité de puissance, d'interroger les divers fabricants sur les caractéristiques de leurs produits et sur les solutions appliquées en réponse aux contraintes et limites spécifiques au type d'unité choisie.

Les risques de surcharge sont limités par l'effet amortisseur inhérent à tout système hydraulique. Par ailleurs, tous les systèmes hydrauliques sont équipés d'une soupape de surpression qui libère le vérin en cas de surcharge. Ce dispositif présente l'avantage de réactiver le vérin dès que la surcharge est passée. Cet avantage est souvent capital dans les circonstances où le phénomène se produit, en cas de départ au lof intempestif par exemple.

En contrepartie, les unités de puissance linéaires sont plus encombrantes à cause du bras d'équilibrage qui dépasse de l'arrière ou de la longueur du cylindre. Mark Parkin de Simrad UK a remarqué que de nombreux architectes « négligent l'espace nécessaire pour les bras hydrauliques » obligeant ainsi à l'installation d'une unité linéaire mécanique. Ce problème d'encombrement est partiellement compensé par la possibilité de répartir l'encombrement général de l'unité en séparant la pompe hydraulique et le vérin ; la perte en charge due à la présence de canalisations d'huile hydraulique est relativement peu importante compte tenu de leur faible longueur. C'est de plus un inconvénient largement compensé par la possibilité qu'offre cette option d'installer la pompe dans un endroit correspondant à divers critères de sécurité, de protection ou d'entretien comme la mise hors de portée d'éventuelles projections d'eau ou la facilité d'accès.

Les différents types de pilotes automatiques.

Comme nous l'avons dit, quel que soit le type de pilote automatique, il se compose au minimum des quatre éléments cités plus haut. Il existe cependant une très grande diversité d'appareils qui se divisent en deux grandes catégories, les pilotes automatiques de cockpit et les pilotes automatiques inbord. La différence essentielle entre les deux types d'appareils réside dans la taille des bateaux auxquels ils sont destinés.

Les pilotes de cockpit

L'apparition des premiers pilotes automatiques de cockpit dans les années 70 a marqué un véritable tournant dans l'histoire de l'électronique embarquée. Des systèmes complexes jusque-là réservés aux applications professionnelles ou aux très gros yachts, étaient mis à la portée de bateaux de tailles plus modestes et de budgets plus serrés. Un petit bateau avec une simple barre franche pouvait désormais être confié au pilote automatique, libérant le plaisancier d'une tâche parfois fastidieuse et lui ouvrant la voie vers des traversées plus lointaines.

Caractérisés par leur installation dans le cockpit, ces pilotes automatiques se divisent en deux catégories principales, les pilotes pour barre franche et les pilotes pour barre à roue.

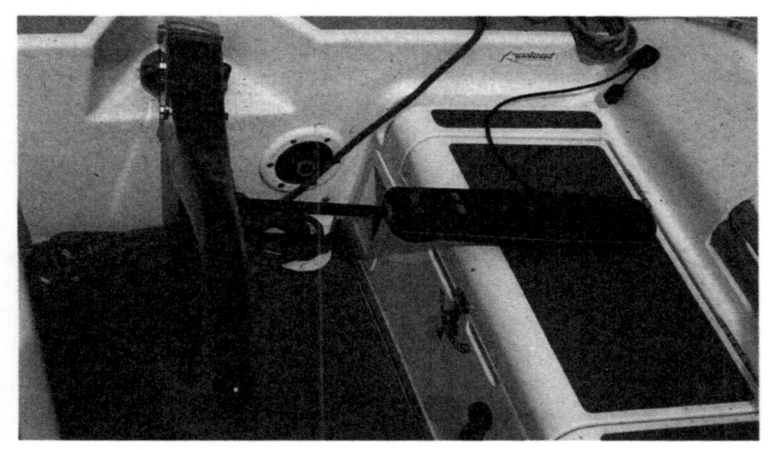

Pilote de barre franche Autohelm ST 800.

Les pilotes pour barre franche

Les premiers pilotes pour barre franche étaient composés d'un moteur fixé sous la barre et entraînant un tambour sur lequel était enroulé un cordage dont les extrémités étaient fixées sur les bancs de cockpit. La mise en marche du moteur était commandée par un compas optoélectronique. La rotation du moteur provoquait le déplacement de la barre dans un sens ou dans l'autre par enroulement/déroulement du cordage autour du tambour. Ce système s'est vite révélé fragile pour plusieurs raisons : nécessité de laisser une longueur relativement importante au câble d'alimentation et de liaison compas/moteur pour compenser les mouvements de la barre, position du moteur à un emplacement exposé etc.

L'apparition des premiers pilotes pour barre franche à unité de puissance mécanique linéaire a jeté les bases de ce qui reste aujourd'hui la configuration la plus utilisée.

Présentés majoritairement sous forme de boîtier unique intégrant tous les éléments, ces pilotes existent néanmoins sous plusieurs configurations.

Beaucoup de marques et de modèles ont été proposés aux plaisanciers au cours des vingt dernières années. Actuellement deux marques dominent principalement le marché des pilotes de cockpit, Raytheon (avec la gamme des pilotes Autohelm) et Simrad (avec la gamme des pilotes Corus Navico). Les gammes de ces deux fabricants couvrent tous les besoins pour des bateaux jusqu'à 6,5 tonnes de déplacement. Raytheon va un peu plus loin en proposant une version GP de son pilote ST 4000T Plus, capable de barrer les bateaux jusqu'à 9 tonnes de déplacement. Tous ces pilotes sauf le TP10 de Simrad offrent la possibilité d'affichage des données soit sur écran intégré (Raytheon) soit sur répétiteur séparé vendu en option (Simrad). Tous les appareils sont présentés sous forme d'un boîtier unique intégrant tous les composants du pilote, à l'exception du modèle de haut de gamme Raytheon ST4000T dont l'unité de puissance linéaire est séparée du pupitre de commande. Mis à part le TP10, tous les pilotes comprennent une interface NMEA 0183 qui permet leur connexion à tous les appareils émettant ou recevant les données de navigation sous ce format. De même, ils sont compatibles avec le langage propre à leur marque de fabrication, soit Corus et Sea Talk, qui permet leur intégration dans un système complet de navigation électronique et leur asservissement à divers capteurs : girouette anémomètre, positionneur etc.

Les pilotes pour barre à roue

Longtemps basée sur un concept unique d'entraînement par courroie, l'unité de puissance des pilotes de cockpit pour barre à roue existe maintenant également avec transmission directe sur une roue dentée intégrée à la barre à roue.

Comme dans le cas des pilotes pour barre franche, Raytheon et Simrad dominent complètement le marché. Les gammes sont plus restreintes avec seulement deux modèles par gamme, le choix du modèle étant fonction du déplacement du bateau. Le plus puissant est le pilote WP30 Simrad qui peut barrer des bateaux jusqu'à 8,5 tonnes de déplacement. Les pilotes automatiques à roue intégrés offrent l'avantage de supprimer la courroie qui peut encombrer le cockpit et mettent le moteur à un emplacement où il est abrité de chocs par la roue elle-même. Le pilote est débrayé par un simple système de levier, et l'extrême douceur de rotation du pignon d'entraînement supprime toute gêne lors de pilotage manuel du bateau.

Seul Raytheon propose encore un pilote à transmission par courroie, le ST3000. Ce système traditionnel s'installe plus facilement sur une roue dont le cercle extérieur est décalé par rapport au moyeu, c'est-à-dire une roue à profil conique. Il suffit, dans le cas d'une roue à profil plat, d'aligner le pignon de sortie du moteur et la couronne fixée sur la barre à roue. L'installation d'un pilote intégré est plus problématique dans le deuxième cas et il faut un calage extrêmement

Le pilote WP 30 installé sur une barre à roue.

précis de l'ensemble pour s'assurer que la couronne d'entraînement fixée sur la barre à roue soit rigoureusement perpendiculaire à l'axe de celle-ci. Un mauvais alignement est sans conséquence fâcheuse sur un pilote à transmission par courroie, mais peut être autrement grave pour un pilote à transmission intégrée et se traduire par une détérioration irrémédiable du moteur ou de la pignonnerie de transmission.

Les deux modèles Raytheon sont proposés avec pupitre de commande séparé équipé d'un afficheur. Les pilotes Simrad sont plus compacts et intègrent la totalité des éléments dans un ensemble unique avec levier de débrayage. L'absence d'écran est compensée par un pupitre de contrôle ergonomique à diodes de contrôle. Si le modèle d'entrée de gamme WP10 ne permet aucun interfaçage extérieur à l'exception d'un capteur girouette en option, le WP30 est quant à lui totalement interfaçable au système Corus et aux appareils au format NMEA 0183, il peut donc être relié à une télécommande, à un répétiteur et à de nombreux capteurs extérieurs.

Les pilotes Raytheon sont tous deux interfaçables. L'interface NMEA est présente d'origine sur le pilote Raytheon ST 4000 W et en option sur le ST 3000. Tous deux sont compatibles Seatalk et peuvent s'intégrer sans problème dans un système Raytheon Seatalk. L'unité de puissance est séparée du compas et du moniteur comprenant le clavier et l'afficheur.

Tous les boîtiers de pilotes automatiques de cockpit sont donnés pour être étanches au ruissellement par les fabricants. Cette étanchéité est sans problème sur les pilotes pour barre à roue, elle pose par contre un problème sur les pilotes automatiques pour barre franche. Si le passage du vérin hors du boîtier est relativement simple à résoudre, le problème se complique avec les variations de volume libre à l'intérieur du boîtier en fonction de l'état dudit vérin. Quand il est étendu, le volume libre à l'intérieur du boîtier est augmenté du volume propre au vérin. Il s'ensuit une légère dépression à l'intérieur du boîtier qui provoque un effet d'aspiration au niveau du joint de vérin. L'utilisation d'un joint à lèvre de très bonne qualité pallie cet inconvénient, la dépression interne du boîtier provoquant au contraire une plus grande pression du joint sur le vérin, et, partant, un accroissement de l'étanchéité. Il faut cependant que le joint et le vérin soient tous deux en parfait état sans la moindre rayure susceptible de constituer un cheminement favorable à la pénétration de l'eau. Ce problème est traité différemment par les deux principaux constructeurs de pilotes automatiques de cockpit. Le boîtier des pilotes automatiques de cockpit

Autohelm Raytheon est complètement hermétique et c'est la qualité du joint qui garantit la protection des composants internes contre l'humidité. Simrad a choisi une solution totalement différente. Considérant en plus des variations de volume inhérentes aux mouvements du vérin, que le fonctionnement du moteur du pilote automatique génère un certain dégagement de chaleur, ce fabricant a décidé de séparer le boîtier de ses pilotes automatiques de cockpit en deux compartiments. Un premier compartiment complètement étanche reçoit toute la partie électronique, y compris le compas fluxgate, et le second compartiment non étanche reçoit la partie mécanique, c'est-à-dire le moteur, le système de transmission et enfin le vérin. Un simple joint torique limite les entrées d'eau liées aux mouvements du vérin, tandis que le dessous du boîtier est équipé d'une petite grille en son point le plus bas permettant la ventilation du moteur et l'évacuation de l'eau éventuellement présente dans le compartiment. Il serait bien arbitraire de trancher entre les deux systèmes. Les progrès réalisés au cours des dernières années dans la qualité des composants et la résistance des divers éléments de protection des circuits contre l'humidité ont relégué au rang de phénomènes marginaux les pannes liées à la corrosion dans la maintenance des pilotes automatiques de dernière génération.

Capables de piloter la plupart des bateaux jusqu'à 12 mètres de LHT et 8,5 t de déplacement, les pilotes automatiques de cockpit pour barre à roue sont cependant déconseillés pour les barres hydrauliques quelle que doit la taille du bateau. En effet, lors de l'installation de l'appareil, vous programmez le nombre de tours de roue de butée à butée après avoir mis la barre en position neutre. En l'absence de capteur d'angle de barre, le pilote calcule la position du safran par rapport à la position neutre de référence. Ce système ne prend pas en compte les glissements inhérents aux systèmes hydrauliques, desquels peut résulter un décalage pouvant atteindre 15°, provoquant un fonctionnement aléatoire du pilote automatique. La différence de prix entre un pilote automatique de cockpit et une installation inbord ne doit pas faire obstacle. Nombreux sont les cas où un plaisancier ayant acheté un appareil de cockpit par souci d'économie, s'est rapidement trouvé devant le choix d'équiper son bateau d'un système inbord ou de revenir à un pilotage manuel. La différence de prix entre les deux systèmes est atténuée par l'utilisation du vérin d'origine. Il suffit donc de placer dans le circuit hydraulique une pompe asservie à un calculateur et une vanne by-pass pour réaliser une unité de puissance linéaire hydraulique

Les pilotes automatiques inbord

La description des éléments constitutifs d'un pilote automatique au début du présent chapitre porte en elle-même l'énumération des différents types de pilotes inbord. En effet, ceux-ci se différencient surtout par leur modularité et par le choix de l'unité de puissance. Raytheon propose des « kits » complets comprenant une unité de puissance linéaire mécanique. Ces ensembles sont les seuls à pouvoir être proposés ainsi car ils sont peu dépendants du système de barre installé sur le bateau et leur pose est plus simple que celle d'un système hydraulique ou mécanique rotatif. En réalité, la plupart des installations inbord sont constituées à partir du système de barre existant auquel on rajoute les divers éléments nécessaires à la création d'un système de pilotage automatique. Comme nous l'avons vu plus haut, il suffit d'insérer une pompe hydraulique à moteur électrique dans un système de barre hydraulique à pompe manuelle pour créer l'unité de puissance qui non seulement servira au pilote automatique mais permettra également de disposer d'une barre motorisée.

Les schémas ci-dessous montrent divers exemples de systèmes de pilotes automatiques inbord à composer en fonction des caractéristiques propre à votre bateau. Le choix entre les différents fabricants est fonction de plusieurs critères parmi lesquels on peut retenir, sans que l'ordre donné ne soit lui-même un critère de sélection : la compatibilité avec le système de barre, la compatibilité avec l'électronique déjà installée, le prix de revient de l'installation complète, les capacités d'interfaçage avec d'autres appareils, les accessoires optionnels etc.

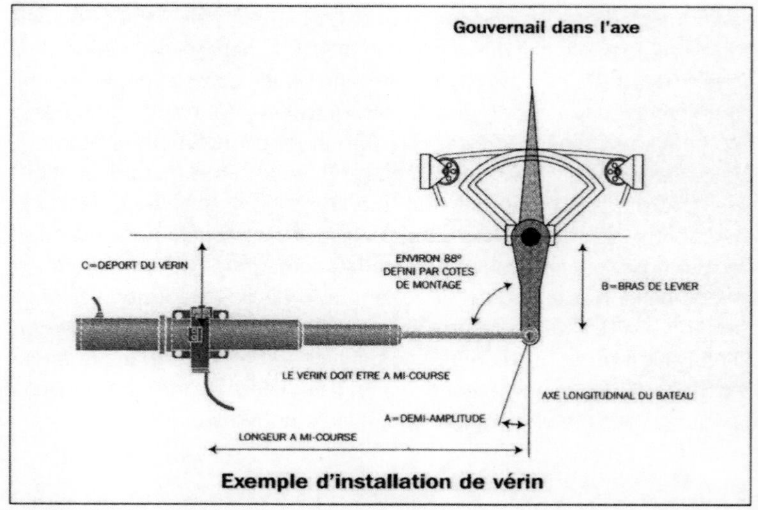

Exemple d'installation de vérin

Montage type d'un vérin de pilote automatique inbord.

À côté de ces systèmes complexes, il existe un type de pilote automatique inbord compact pour petits bateaux à moteur à direction à câble de type Morse Teleflex ou Ultraflex. Les deux modèles présents actuellement sur le marché diffèrent essentiellement par le choix du mode de montage et la répartition des éléments. Raytheon propose le Sport Pilot, modèle compact dont tous les éléments, à l'exception du compas fluxgate, sont regroupés sous un boîtier unique. Très simple à poser, le boîtier s'intercale entre le volant et le support sur le cône de l'axe du volant. Un simple point fixe sur le tableau de bord empêche la mise en rotation du boîtier autour de l'axe dans le cas où la direction serait accidentellement durcie. Equipé d'une entrée pour la réception des données, d'un capteur d'angle de barre fourni en option, ce pilote automatique convient pour tous types de systèmes de barre, y compris les directions hydrauliques.

Pour la même catégorie de bateaux, Simrad propose son pilote AP 12R destiné uniquement aux directions à câble Morse Teleflex ou Ultraflex. Sa conception est totalement différente car la crémaillère d'origine est remplacée par une crémaillère motorisée asservie au calculateur du pilote automatique ou manœuvrée par le volant. Installée en remplacement de la crémaillère, l'unité de puissance de l'AP 12R est totalement cachée, seul le petit pupitre de commande est visible dans le cockpit. Il faut cependant veiller à disposer de suffisamment de place derrière le tableau de bord pour permettre la pose de l'unité de puissance. La section suivante récapitule les contraintes liées à l'installation de chaque type de pilote automatique et nous y verrons que la place disponible est un facteur souvent déterminant dans le choix d'un système ou d'un autre.

L'installation du pilote automatique

L'installation d'un pilote automatique peut être considérée comme une refonte complète de votre système de barre, générant obligatoirement des contraintes liées au bateau lui-même et au type de pilote automatique installé. En plus des contraintes générales directement liées à la pose d'un pilote automatique, l'installation de chacun des éléments du système s'accompagne de précautions dont le respect est un facteur primordial dans le futur bon fonctionnement du pilote automatique.

En dehors des contraintes d'installation spécifiques à chaque pilote, il faut également respecter un certain nombre d'impératifs généraux propres à garantir un fonctionnement correct du pilote.

En tout premier lieu, il est nécessaire de prévoir une alimentation protégée réservée au seul pilote automatique. N'oubliez pas que le moteur du pilote automatique en fonctionnement demande une certaine puissance. La consommation annoncée par les fabricants est une consommation moyenne sur un bateau bien réglé et dans des conditions de navigation moyenne. Par mer formée de l'arrière et vent instable, le pilote automatique est beaucoup plus sollicité, sa consommation d'énergie en est donc significativement augmentée. On considère que la consommation maximale des pilotes automatiques de cockpit les plus puissants ne dépasse que tout à fait exceptionnellement 1,5 Ah. Pour autant le calibre du fusible ou du disjoncteur recommandé pour la plupart des appareils est de 10 ampères pour tenir compte de la consommation instantanée du moteur du pilote en fonctionnement.

Il faut également prévoir soigneusement le schéma de cheminement du câble d'alimentation en évitant le passage à proximité d'un câble d'antenne. Le développement des installations de positionneurs GPS, qui s'est souvent traduit à bord des voiliers par la pose d'une antenne sur le balcon arrière, donne toute son actualité à cet impératif. Veillez enfin à ce que la prise d'alimentation des pilotes de cockpit soit située à un emplacement où le risque d'arrachement est aussi réduit que possible. N'oubliez pas que cette prise reste à poste en permanence une fois le pilote stocké à l'abri à l'intérieur du bateau.

Pilote automatique inbord

Pose du pupitre de commande. Les pupitres de commande diffèrent grandement d'un système à l'autre tant dans leur conception que dans leur apparence. Bien prendre en compte les caractéristiques de l'installation souhaitée permet de disposer d'un guide rigoureux dans le choix de cet élément.

L'emplacement et les diverses fonctions du pupitre de commande sont les critères les plus importants.

Si le pilote doit être commandé depuis le cockpit, l'étanchéité est une contrainte incontournable. Les pupitres des pilotes inbord ne bénéficient pas tous de cet avantage. Dans ce cas, les fabricants prévoient généralement une télécommande en option permettant le contrôle du pilote automatique depuis l'extérieur.

Pose de l'unité de puissance. L'unité de puissance linéaire se fixe à une extrémité sur le gouvernail soit à l'aide d'un bras de mèche assez court soit directement sur le secteur de gouvernail. Le point fixe de l'unité de puissance linéaire ou rotative est boulonné sur un support très solide sur la coque ou sur une cloison et un renforcement de la structure s'avère souvent nécessaire pour encaisser l'effort linéaire ou le couple de rotation généré par l'unité de puissance.

Avant d'installer une unité de puissance linéaire, il est important de tenir compte de son encombrement total afin d'éviter que l'arrière du vérin une fois rétracté ne vienne au contact de la coque, au risque d'arracher son support ou pire de provoquer une avarie de coque aux conséquences parfois irrémédiables. Certains chantiers prévoient dès l'origine un support d'unité de puissance dont la résistance est étudiée en fonction des contraintes propres au bateau concerné. De même, les fabricants de systèmes de barre prévoient souvent l'emplacement de la rotule de fixation du vérin de l'unité de puissance sur le secteur de barre. Ces caractéristiques, pour intéressantes qu'elles soient, présentent cependant l'inconvénient de ne convenir en général qu'aux produits d'un fabricant unique d'électronique de navigation, limitant ainsi les possibilités de choix du propriétaire du bateau pour le pilote automatique, et, dans une moindre mesure, pour l'ensemble de l'équipement électronique du bateau. Il reste que vous n'êtes pas obligé de tenir compte des emplacements prévus et que vous pouvez faire installer le pilote automatique de votre choix en créant les points fixes appropriés.

Pour réduire au minimum l'inertie de la barre, il est préférable de déconnecter la barre manuelle quand le pilote automatique est activé. Cette déconnexion, quand elle est possible, s'opère de diverses façons en fonction du type d'unité de puissance utilisée et du système de barre équipant le bateau. Il peut donc être constitué :
a) d'un embrayage mécanique à broche (Edson),
b) d'un verrouillage mécanique (Alpha),
c) d'un embrayage mécanique activé par un solénoïde (Autohelm),
d) d'un by-pass hydraulique activé par un solénoïde.

Le débrayage de la barre manuelle a pour avantage de réduire la consommation d'énergie du pilote automatique et d'éviter un ralentissement de son fonctionnement. De même, lorsque le bateau est barré manuellement, est-il préférable de pouvoir désaccoupler ou dévier l'unité de puissance du pilote automatique de sorte à diminuer l'inertie de la barre et augmenter le secteur de rotation de la barre, les limites de fonctionnement du pilote automatique étant normalement réglées en deçà du secteur limité par les butées mécaniques de la barre.

L'unité de puissance dispose en général d'une force considérable, il est impératif que chaque pilote automatique dispose d'un bouton d'arrêt d'urgence facilement accessible depuis le poste de barre, en cas de problème de fonctionnement du pilote automatique ou si barrer manuellement s'avérait soudain nécessaire. Ce bouton ne doit jamais se situer sous le pont, la distance électrique étant tout simplement trop grande entre la barre et la table à cartes. En effet, en cas d'urgence tout délai peut endommager le pilote automatique ou même avoir des conséquences plus graves. Les pilotes automatiques Robertson sont équipés d'un bouton d'arrêt d'urgence sur toute l'instrumentation extérieure.

Parallèlement à l'unité de puissance, il faut apporter le plus grand soin à la pose de l'émetteur d'angle de barre. En effet, tout décalage dans le réglage du zéro ou dans l'orientation de ce capteur entraîne un dysfonctionnement important du système. Les capteurs d'angle de barre directement asservi au vérin d'unités de puissance linéaires sont plus faciles à installer en ceci qu'il suffit de les fixer aux emplacements prévus sur le vérin, nous avons cependant vu plus haut les limites fonctionnelles de ces capteurs.

Pose du compas. Les données émises par le compas fluxgate sont reçues sur le calculateur du pilote automatique et éventuellement sur un afficheur à la table à cartes ou dans le cockpit. Le capteur ne comprend généralement aucun écran ni pupitre de commande. Les réglages du capteur et l'exploitation des données se font à distance, laissant à l'installateur la possibilité de poser le capteur à la position optimale.

Le compas est le capteur de base du pilote automatique, les contraintes liées à son installation sont surtout relatives aux interférences électromagnétiques générées par les câbles du réseau électrique, les masses métalliques magnétiques situées à proximité et les interférences générées par les autres appareils électroniques ou électriques du bord. Il est donc important dans un premier temps d'installer le compas à une distance minimale de tous ces autres équipements. Le tableau ci-dessous est une liste indicative non exhaustive des distances à respecter, il convient toutefois de consulter la notice de votre pilote pour toutes les contraintes spécifiques à l'appareil de votre choix, le fabricant seul étant à même de vous les indiquer avec précision.

Appareil ou équipement	Distance du compas du pilote (en mètres)
Compas magnétique	0,80 m
Emetteur récepteur	1,20 m
Haut-parleur	1,00 m
Générateur (alternateur ou groupe électrogène)	1,20 m
Câble d'antenne (émission)*	1,00 m
Câble d'antenne (réception)	0,80 m
Electronique de navigation**	0,80 m
Autre compas fluxgate	0,80 m

* *Distance à respecter pour un émetteur de puissance relativement faible comme une VHF (25 watts). Pour les câbles d'antenne d'émetteurs de plus forte puissance, il faut porter cette distance à au moins 1,20 m. Consultez en tout état de cause la notice d'installation de l'émetteur récepteur.*

** *Certains appareils peuvent sans risque être posés à proximité d'un capteur compas fluxgate. Consultez la notice d'installation de l'appareil.*

Au-delà de ces précautions, il est important de contrôler, quand vous achetez un équipement électrique ou électronique, sa conformité avec la norme de compatibilité électromagnétique (EMC). Cette norme édictée par la Communauté Européenne garantit une interférence électromagnétique minimale de l'appareil sur le reste de l'équipement électronique du bord. Cette précaution est très importante spécialement pour les appareils faisant appel à une pompe ou un moteur électrique, on imagine l'influence qu'aurait un moteur d'unité de puissance non conforme sur les données fournies au calculateur du pilote par le compas, et les conséquences désastreuses qui pourraient en résulter.

Le respect des contraintes liées aux interférences magnétiques laisse cependant de nombreux sites possibles pour l'installation du capteur compas. Parmi ces emplacements, il convient de choisir celui qui représente le meilleur compromis entre les facteurs suivants :
- proximité du centre de gravité du bateau,
- protection contre les chocs et l'humidité,
- longueur minimale des câbles d'alimentation et de données.

En tout état de cause, il convient, après avoir opéré une première sélection théorique, d'installer successivement le capteur de manière provisoire aux divers emplacements retenus et de sélectionner celui qui, parmi eux, vous semble le mieux approprié après essai.

Tenez compte des impératifs énumérés ci-dessus lors de la pose d'un pilote automatique de cockpit avec compas intégré. Les emplacements disponibles sont beaucoup moins nombreux, mais le simple fait de pouvoir, par exemple, poser un pilote automatique de barre franche d'un côté ou de l'autre du cockpit peut s'avérer être un précieux atout.

Pose du calculateur. Le calculateur est l'élément le moins contraignant à installer. Les commandes et les réglages sont déportés au pupitre de commande. Les seules contraintes sont d'ordre purement pratique. Positionnez le calculateur dans un espace ventilé, à l'abri des chocs et de l'humidité. Le raccordement des différents capteurs, de l'unité de puissance et du pupitre de commande suppose la présence de plusieurs bornes de connexion sur le calculateur. En général, les fabricants prévoient l'emplacement de ces bornes de sorte à les mettre à l'abri en cas d'aspersion éventuelle du boîtier ; soyez attentif au scrupuleux respect des consignes d'installation relatives à cette contrainte. De même, le fonctionnement du microprocesseur génère un certain dégagement de chaleur dispersée le plus souvent par des ailettes de refroidissement moulées sur le boîtier de l'unité, il faut donc tenir compte des recommandations du fabricant.

Les différentes contraintes d'installation et l'importance des conséquences d'éventuelles erreurs lors de cette opération permettent d'affirmer qu'il n'est guère prudent d'installer soi-même un pilote automatique inbord. Le procédé est très complexe et nombreuses sont les erreurs potentielles pour le propriétaire peu expérimenté. Les fabricants découragent fortement une telle initiative et certains comme Robertson, refusent tout simplement de garantir un produit installé par l'utilisateur lui-même. Le coût parfois relativement élevé de la pose est souvent justifié compte tenu de la complexité technique du produit et de l'inadaptation des bateaux dans de nombreux cas. C'est le prix à payer non seulement pour la pérennité d'un équipement à coût unitaire déjà important mais également pour votre sécurité.

Pilote automatique de cockpit

Contrairement aux pilotes automatiques inbords, les pilotes automatiques de cockpit, quelle que soit leur configuration, se caractérisent par la réduction au minimum des contraintes matérielles d'installation et d'utilisation et le plus souvent, par la possibilité d'être facilement déposés pour le stockage. Les impératifs d'éloignement du compas relativement aux éléments pouvant perturber son fonctionnement sont identiques à ceux mentionnés ci-avant pour les pilotes automatiques inbord.

Pilote automatique pour barre franche

Le point fixe est un tolet en laiton qui s'installe par collage dans un trou pratiqué dans le banc de cockpit. Sur la barre, un axe en acier inoxydable terminé par une tête d'homme sert de rotule sur laquelle on verrouille en force l'embout qui termine le vérin. Toutes les notices de montage indiquent les cotes d'implantation :
- implantation de la tête d'homme sur la barre franche à une distance précise sur une perpendiculaire à la mèche de gouvernail
- implantation du tolet. La notice indique la longueur séparant le tolet de la rotule. Cette distance est égale à la longueur du pilote du tolet à l'extrémité du vérin quand celui-ci est sorti à moitié.

Il est en outre précisé que le pilote doit être aussi horizontal que possible.

Le respect de ces cotes est indispensable pour que les performances en puissance et en rapidité annoncées par le fabricant soient atteintes. Une implantation de la rotule d'homme trop proche de la mèche augmentera la vitesse de correction de cap, mais demandera un effort supplémentaire au pilote qui pourra s'avérer insuffisant en conditions difficiles. Un tolet positionné trop haut ou trop bas provoquera une inclinaison du pilote préjudiciable au fonctionnement du compas sans compter les risques de sortie du tolet en conditions extrêmes.

Il est très rare que l'architecture des cockpits corresponde exactement aux cotes d'implantation des pilotes. Si la barre franche est toujours assez longue pour respecter la distance entre la mèche et la rotule, le cockpit est souvent trop large ou trop étroit, et le banc de cockpit trop haut ou trop bas.

Pour pallier cette difficulté, les fabricants proposent toute une série d'accessoires, coudes, rallonges de vérin, piédestaux ou supports de tolet en porte-à-faux (cantilever). Le schéma ci-après montre ces divers accessoires de montage ainsi que ceux destinés aux pilotes pour barre à roue.

Certains fabricants ont pris la peine à une époque de créer une base de données regroupant les cotes des cockpits des bateaux de série les plus répandus. Grâce à ce travail il semblait possible de déterminer non seulement le pilote automatique le mieux adapté à chaque bateau mais également la liste des accessoires complémentaires nécessaires au montage. Malheureusement, les cotes lues sur les plans ne correspondaient pas toujours à la réalité sur le bateau, le cockpit ou la barre ayant pu être modifiés pour diverses raisons pratiques. La conclusion à tirer de cette expérience est que seule la prise des cotes directement sur le bateau permet de déterminer avec exactitude les besoins en accessoires. L'apparition des premiers pilotes à compas à vanne de flux (fluxgate) au milieu des années 80 a éliminé une contrainte plus ou moins bien maîtrisée jusque-là. Les pilotes automatiques à compas optoélectronique étaient prévus pour une installation sur un côté déterminé du cockpit, à bâbord ou à tribord. Et il fallait soit préciser ce côté à la commande, soit procéder à une manipulation de la rose fictive imprimée sur le boîtier du compas pour l'installer sur le bord opposé à celui prévu d'origine. Sur les appareils actuels, une séquence de touches permet d'inverser le côté d'installation en quelques secondes sans la moindre diminution de la précision ou de l'efficacité du compas. Mieux, si le capteur compas est déporté et que sa ligne de foi n'est pas parallèle à celle du bateau, il est possible d'intégrer ce décalage au degré près.

Il arrive que l'architecte ou le bureau d'étude du chantier n'aient pas pris en compte dans les plans du bateau, la pose éventuelle d'un pilote automatique. Dans le cas, heureusement assez rare, où les accessoires proposés par le fabricant ne permettent pas d'adapter le pilote automatique au bateau, il devient nécessaire de fabriquer une pièce d'adaptation qui doit impérativement être capable d'encaisser la poussée du pilote, sans être pour autant trop encombrante quand celui-ci n'est pas utilisé. Soyez particulièrement attentif aux possibilités d'installation sur les bateaux à arrière canoë ou norvégien, et sur ceux dont la barre est en forme de esse.

Pilote de cockpit pour barre à roue

L'installation des pilotes de cockpit pour barre à roue, pour simple qu'elle soit, nécessite cependant le respect de certaines précautions spécifiques. Dans un premier temps, comme nous l'avons vu plus haut lors de la présentation des pilotes de cockpit pour barre à roue, il faut s'assurer, quel que soit le type du pilote automatique, de l'alignement dans le même plan, du pignon de sortie du moteur et de la roue d'entraînement de la barre. Comme dans le cas des pilotes automatiques pour barre franche, un certain nombre d'accessoires de pose sont proposés en option, permettant d'adapter l'appareil à votre cockpit. Ces éléments sont essentiellement des courroies de différentes longueurs (ST 3000) et des supports pour fixation du moteur sur colonne de barre. Vérifiez enfin que le moteur du pilote automatique ne perturbe pas le fonctionnement du compas de route. En plus de ces exigences spécifiques, les pilotes automatiques pour barre à roue sont soumis aux mêmes contraintes d'installation que les pilotes pour barre franche.

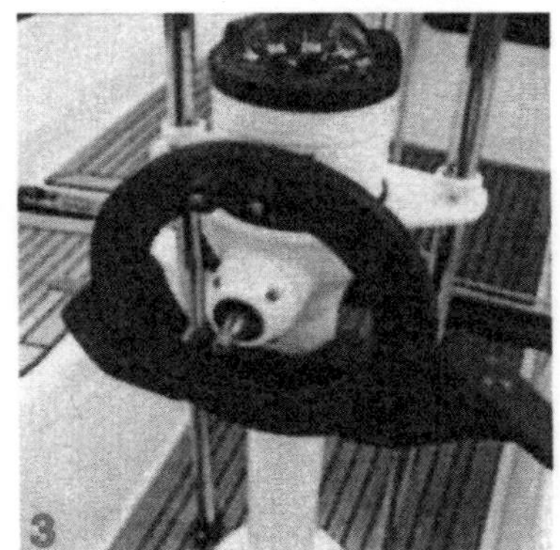

Montage d'un pilote Simrad WP 30.
1. retirer la barre.
2. Fixer le support autour du fut.
3. Mettre en place le pilote.
4. Remonter la barre.

4 • Les régulateurs d'allure

L'harmonie du régulateur d'allure et du voilier vient du fait essentiel que le fonctionnement du premier et la marche du second sont directement asservis au même facteur, à savoir la direction du vent apparent. Une fois les voiles et l'aérien réglés selon l'angle du vent approprié, le bateau conserve indéfiniment la même allure et les voiles restent toujours correctement réglées.

La direction du vent est la première chose à prendre en considération lorsqu'on planifie un voyage. Au portant, on choisit la route la plus courte (la route loxodromique pour une grande traversée) et on profite agréablement de son voyage. Au près, il est indispensable de tirer des bords et le cap compas perd alors de son intérêt, le chemin le plus direct n'étant pas forcément le plus court si les voiles sont à contre.

Les trois éléments composant le régulateur d'allure sont l'aérien, la liaison mécanique et la pale immergée.

L'aérien

L'aérien produit le signal qui active le régulateur d'allure. Agissant telle une girouette, il s'aligne dans l'axe du vent apparent qui s'écoule en flux laminaire le long de chaque face. Un système de blocage des paliers de l'axe de rotation de l'aérien permet de lui donner un angle constant avec l'axe longitudinal de la pale immergée. Il existe deux types d'aériens, l'aérien horizontal et l'aérien vertical.

L'aérien vertical

Comment ça marche ? L'aérien vertical ou V pivote autour d'un axe vertical (selon le même principe qu'une girouette classique), voir le schéma page suivante. Il est toujours orienté dans l'axe du vent, de ce fait la surface effective (c'est-à-dire la surface soumise à l'action du vent) est généralement réduite. Lorsque le bateau quitte son allure, l'aérien est dévié du même nombre de degrés que le bateau. L'impulsion de barre générée par cette déviation ne peut libérer qu'une force limitée, car un aérien V a un mouvement de rotation qui est faible.

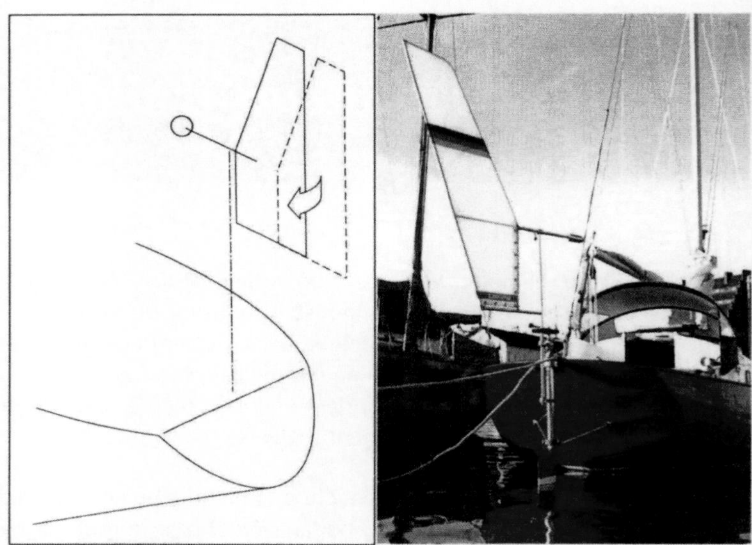

Aérien V, Windpilot Atlantik système à safran auxiliaire.

Aérien V à profil épais, Saye's Rig.

Le réglage. Il n'y a rien de plus facile que de régler un aérien V par rapport à la direction du vent : lorsqu'il tourne librement, il s'oriente en permanence dans la direction du vent et ne nécessite aucun réglage particulier. On le règle en fonction de la force du vent en le déplaçant par rapport à son axe de rotation. Par vent faible, en augmentant la distance entre aérien et axe de rotation (bras de levier plus long) on donne une plus grande puissance au régulateur d'allure. Lorsque le vent fraîchit et que par conséquent la puissance ne fait pas défaut, on contribue à la diminution des vibrations en réduisant la distance (bras de levier plus court) entre l'aérien et l'axe de rotation.

La forme. L'écoulement de l'air le long de l'aérien V est toujours laminaire, par conséquent, les sections aérodynamiques ou les concepts en forme de coin (voir photo de l'aérien du Saye's Rig) dont les flancs séparent l'écoulement sont les formes les plus efficaces. Malheureusement l'alourdissement du système, la complexité de la construction et l'augmentation des coûts orientent les faveurs de presque tous les fabricants vers des profils plats et simples.

La superficie. La surface des aériens V doit être suffisamment importante (jusqu'à 1 m^2) pour leur permettre d'émettre un signal satisfaisant et précis tout en délivrant assez de force pour le pilotage. En raison de cet encombrement dû à leur taille et à leur rayon de rotation, ils prennent une place significative sur le tableau arrière, rendant nécessaire la prise en compte lors de l'installation, des pataras, mât d'artimon et autres bossoirs.

Le contrepoids. En raison de l'importance de sa taille et de son poids, un aérien V doit être parfaitement équilibré par un contrepoids. Cette caractéristique est particulièrement importante par petit temps (avec bras de levier maximal), car le signal peut être déclenché par la gîte du bateau. Par contre, en position « vent fort », lorsque l'aérien est collé à l'axe, le vent produit suffisamment de force pour contrer les turbulences générées par les mouvements du bateau.

Les fournisseurs. Voici la liste des fabricants qui utilisent l'aérien V : Hasler, Saye's Rig, Schwingpilot, Windpilot Atlantik/Caribic.

L'aérien horizontal

Comment ça marche ? Un aérien horizontal ou H tourne autour d'un axe horizontal. Lorsqu'il est orienté directement dans l'axe du vent, il est en position verticale. Quand le vent tourne, c'est-à-dire lorsque le bateau quitte son allure, l'aérien bascule alors du côté opposé. Ce qui le distingue de l'aérien précédent, c'est que lors d'un changement d'allure, ce n'est pas uniquement le bord d'attaque mais toute la surface d'une des faces de l'aérien qui se trouve ainsi exposée au vent. Il en résulte une augmentation significative du pourcentage de surface efficace de la face exposée au vent. La puissance des aériens H est donc beaucoup plus importante que celle des aériens V. Il est généralement admis que leur efficacité est entre 5 et 6 fois supérieure.

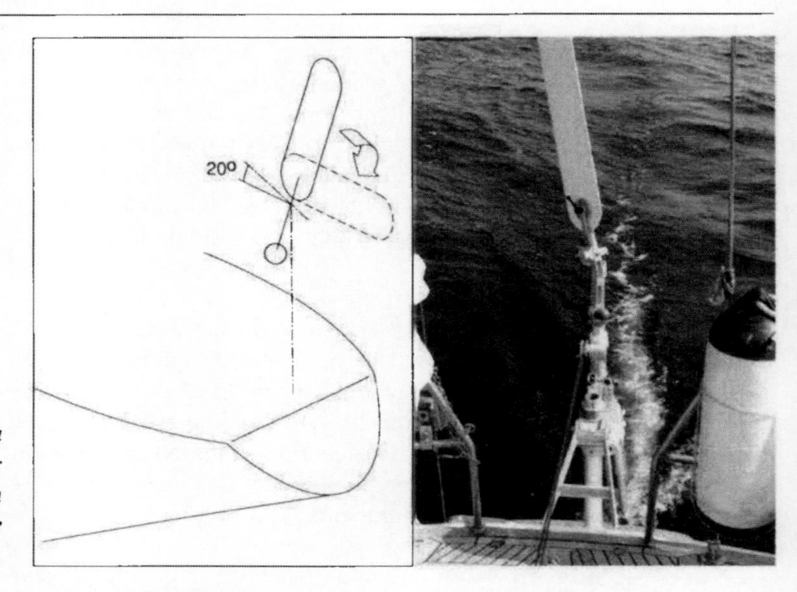

Aérien H du Windpilot Pacific Plus à safran auxiliaire et pale pendulaire.

Le réglage. Certains aériens sont dotés d'un réglage avant-arrière de l'inclinaison. La position avancée (c'est-à-dire complètement à la verticale) offre une surface efficace maximale dans les petits airs. En revanche l'inclinaison en arrière de l'aérien permet de combattre les effets de balancements latéraux, pour une action plus en douceur du régulateur.

La forme. Etant donné qu'un aérien H exploite le vent agissant sur une de ses faces, il n'y à rien à gagner à lui donner une forme autre que plate.

Le montage et le démontage. La plupart des aériens H actuels se composent d'une plaque de contreplaqué, un matériau relativement souple, fixé sur un support. Il est préférable de choisir un aérien dont la surface de fixation sur le support soit la plus grande possible, cette précaution diminue les risques de détérioration voire d'arrachement de l'aérien par vent fort et mer formée. L'aérien doit également être simple à déposer, cette facilité évitera au skipper paresseux la tentation de laisser l'aérien en place, même au port, où l'usure se poursuit normalement mais également où les risques de détérioration sont les plus grands. De nombreux aériens Aries sont restés en place pendant des années en raison de la nécessité de démontage du système de blocage pour permettre leur dépose. L'aérien du Sailomat 601 se glisse dans un tube en aluminium, ce qui réduit la surface de contact entre aérien et support. Les aériens Monitor se démontent par dépose de deux boulons. Le support du Windpilot Pacific présente une grande surface de contact au niveau de la jonction support/plaque et dispose d'un emboîtement permettant la dépose rapide de la plaque par desserrage du système de verrouillage sur un tour complet.

Le contrepoids. Pour éviter que les mouvements du bateau ne provoquent des impulsions de barre intempestives, il est impératif d'obtenir un équilibre parfait de l'aérien horizontal par un contrepoids. Cela signifie que le contrepoids doit être légèrement plus lourd que l'aérien (entre 10 et 30 g). Sur les systèmes servo-pendulaires traditionnels, il arrive que certains navigateurs attachent des élastiques au contrepoids pour aider à ramener l'aérien dans sa position centrale. Même si cette astuce permet de compenser partiellement l'inertie considérable du bras de liaison, elle n'augmente en rien la sensibilité du système.

La superficie. Grâce à son efficacité nettement supérieure, un aérien H est beaucoup plus petit qu'un aérien V équivalent. On peut échanger les aériens en fonction de la force du vent, mais, pour être efficace, cette modification doit être accompagnée d'un changement de contrepoids. En tout état de cause, les systèmes servo-pendulaires actuels sont suffisamment sensibles pour qu'un seul aérien convienne à toutes les forces de vent. Presque tous les fabricants recommandent un aérien H d'une surface de 0,17 m^2 pour les régulateurs servo-pendulaires et de 0,25 m^2 pour les régulateurs à safran auxiliaire.

Léger, bon marché et robuste, le contreplaqué présente plusieurs avantages comme matériau de construction, pour la réalisation d'un aérien H. Simple à travailler et partout disponible, il facilite en outre le remplacement de l'aérien avec les outils du bord. En prévision de cette éventualité, il est sage de peser l'aérien d'origine et d'en noter le poids. En effet, un aérien de rechange doit peser exactement le même poids que la pièce d'origine. Pour alléger un aérien en contreplaqué il suffit d'en découper un morceau. Pour améliorer l'efficacité d'un régulateur d'allure, surtout par petit temps, il suffit souvent d'augmenter la surface de l'aérien. Cet agrandissement de l'aérien doit cependant se faire sans augmentation de poids. Pour ce faire, ajourez le nouvel aérien en y pratiquant un certain nombre de découpes jusqu'à ce que poids final soit très légèrement inférieur à celui de l'aérien d'origine. Aveuglez ensuite les ouvertures en y collant des pièces de tissu de réparation de spinnaker ou en réalisant dans le même tissu, une housse qui vienne recouvrir la totalité de la surface de l'aérien.

Astuce : un ruban de toile de spi (environ 2,5 x 80 cm) collé au coin supérieur arrière fait merveille par petit temps. L'agitation de cette bande facilite les mouvements du contreplaqué qui a tendance à tomber en léthargie lorsque le vent devient trop faible.

La surface généralement faible des aériens H facilite leur démontage et leur manipulation. Elle réduit également la taille de l'espace nécessaire à leur fonctionnement. Pas plus que les bossoirs, les mâts d'artimon ou de tapecul sur les ketchs ou les yawls, ne posent généralement de problèmes.

La liaison mécanique

Le signal émis par l'aérien est transmis à la pale du régulateur par une liaison mécanique. Selon le type de système, cette liaison mécanique se présente sous forme d'une simple bielle, de leviers, de câbles gainés, de drosses, d'engrenages dentés ou coniques. Nous parlerons plus loin dans cet ouvrage des différents systèmes de transmission et de leur fonctionnement.

Un ruban de toile de spi collée à l'aérien fait des merveilles dans les petits airs.

La pale immergée

Le gouvernail auxiliaire ou la pale pendulaire d'un régulateur corrige l'allure du bateau :
- soit directement (régulateur à safran auxiliaire) ;
- soit indirectement (régulateur servo-pendulaire et système à double safran) le déplacement de l'aérien fait pivoter la pale d'un côté qui, à son tour, va commander le déplacement d'un safran via des drosses pour effectuer ainsi la correction d'allure.

L'idéal est un rapport de surface 3 : 1 entre safran principal et safran auxiliaire.

Le safran auxiliaire. Un safran auxiliaire est un safran supplémentaire dont les mouvements sont indépendants du safran principal. La surface des safrans ne doit pas être supérieure à 0,27 m^2 et pas inférieure au tiers de la surface du safran principal. Cette différence de surface s'explique par la différence de fonction entre les deux safrans : le safran principal doit être de taille suffisante pour barrer même au moteur alors que le safran auxiliaire n'est utilisé que pour effectuer de petites corrections d'allure.

La pale pendulaire. Une pale pendulaire génère une « servopuissance » en basculant sur un côté. Cette force est transmise au safran principal. Son amplitude dépend de la longueur du bras pendulaire, c'est-à-dire de la distance entre l'axe de pivotement la pale et l'extrémité inférieure de la pale. Ce bras de levier mesure généralement entre 150 et 200 cm. La surface des pales pendulaires est d'environ 0,1 m^2.

Rapport entre safran principal et pale pendulaire : l'effet levier est la clef de l'efficacité de ce système (à gauche). Rapport entre fletner et safran principal : ce système rend la barre imprécise en marche arrière au moteur (à droite).

Le fletner. Un fletner pivote sur le côté de façon à déplacer le bord de fuite du safran auquel il est fixé. La surface des fletners est généralement inférieure à 0,08 m^2. Ils sont fixés au bord de fuite du safran principal, du safran auxiliaire ou de la pale pendulaire.

Compensation du safran. Compenser le safran permet de réduire la force nécessaire à son pivotement. En pratique, cela revient à placer la mèche de safran à environ 20 % en arrière du bord d'attaque. On peut comparer l'effet produit à l'augmentation de l'effort à fournir lorsqu'un safran de dériveur remonte, après avoir percuté le fond par exemple. Dès que le safran est de retour dans sa position verticale, l'équilibre revient et la poussée à exercer sur le safran redevient quasi nulle.

Presque tous les voiliers modernes sont dotés d'un (ou deux) safran(s) compensé(s). C'est un avantage décisif pour le fonctionnement des régulateurs d'allure car un safran qui pivote sans qu'il soit nécessaire d'appliquer une force importante sur la barre réagit plus facilement aux signaux du régulateur d'allure même quand leur force est minime.

Si la compensation est excessive, par exemple quand la mèche du gouvernail est en arrière du bord d'attaque à 23 à 25 % de la largeur du safran, le safran devient instable et a tendance à aller et venir de manière désordonnée. Dans les cas extrêmes, c'est la pale qui entraîne l'aérien et non l'inverse.

L'amortissement

Un des principes de base d'une bonne maîtrise du pilotage est de donner aussi peu de coups de barre que possible. En règle générale, un coup de barre trop important se traduit par une embardée du bateau, nécessitant un nouveau coup de barre dans l'autre sens pour ramener le bateau sur le cap souhaité. On imagine sans peine les lacets dessinés par le sillage du bateau en pareil cas.

Tout l'art du barreur expérimenté connaissant les réactions de son bateau consiste à réduire au strict minimum ses interventions sur la barre, en appliquant un des deux « programmes de pilotage » mentaux suivant :

1. Essayer de barrer sur un près optimal ou suivre un cap précis si le bateau est à une autre allure. Image même de la concentration, notre barreur expérimenté étudie les instruments du bord, les voiles et le compas avec beaucoup d'attention appliquant continuellement de petites corrections à la barre, et de temps en temps une correction plus grande de manière à réduire au minimum lacets et écarts de cap.

2. Adopter une attitude plus relax en corrigeant le cap plus rarement par de petits mouvements de la barre ; dans ce cas, le cap oscille assez largement autour de la valeur désirée.

La réponse du bateau aux sollicitations de la barre dépend en grande partie de son architecture, un bateau à quille longue réagit plus lentement à la barre qu'un voilier à quille sabre et safran compensé.

Les barreurs expérimentés développent un « programme personnel d'amortissement » qui leur permet d'optimiser la fréquence et l'importance des mouvements de barre presque sans réfléchir. Tout mouvement du safran entraîne non seulement une modification du cap suivi, mais également une diminution temporaire de la vitesse en raison des turbulences ainsi créées dans l'écoulement des filets d'eau le long de la quille et du safran.

Un régulateur d'allure ne possède ni cette expérience ni cette compétence. A moins de temporiser les réactions du régulateur d'allure, celui-ci provoquera inévitablement des mouvements de barre trop fréquents, trop importants et trop longs - c'est ce qu'on appelle la surcorrection. La temporisation du système en amortit les réactions et permet au moins d'égaler l'habileté de notre barreur expérimenté.

Premier principe. Plus l'amortissement est important, meilleur est le pilotage (évidemment ce n'est pas le cas si le régulateur est tellement amorti qu'il ne bouge plus du tout). La conception d'un système basé sur le juste équilibre entre amortissement et puissance est le défi le plus difficile à relever lors de la conception d'un régulateur d'allure.

Deuxième principe. Moins le système est amorti à l'origine, plus le barreur devra l'améliorer pour l'adapter par approximations successives aux caractéristiques spécifiques à son bateau. Cette contrainte implique non seulement un réglage minutieux et permanent des voiles mais contraint également le skipper à réduire prématurément la voilure afin de limiter les sollicitations du régulateur. Les allures portantes sont particulièrement éprouvantes pour les systèmes peu amortis et l'attention réclamée à ces allures altère significativement l'intérêt du pilotage automatique pour le barreur.

Troisième principe. L'utilisation d'un régulateur sans aucune temporisation n'est possible que si la surface de voilure et le réglage des voiles, associés à une forme de coque favorable, sont à ce point parfaits que le bateau soit parfaitement stable sur sa route sans aucun contrôle de barre. Cela dit, si le bateau n'a besoin de personne pour conserver son allure, le rôle du régulateur devient pour le moins contestable et vous pouvez tout aussi bien le jeter par-dessus bord ! Capables de piloter le bateau uniquement sous quelques allures spécifiques, les systèmes non temporisés ne peuvent au maximum être envisagés que comme une aide ponctuelle au pilotage.

Un régulateur d'allure bien équilibré sera toujours performant à la barre ; il est mieux équipé pour barrer un bateau à toutes les allures et dans toutes les conditions. En effet, un régulateur de bonne qualité est un barreur plus efficace et plus endurant que le plus expérimenté et le plus concentré des navigateurs. La temporisation permanente des mouvements de barre limite significativement les mouvements en lacets et maintient une incidence optimale de la voilure. C'est le seul système qui puisse garantir un pilotage réellement efficace

Le terme « pilotage efficace » est utilisé pour qualifier la plage de fonctionnement réel d'un régulateur. A quoi sert un régulateur qui ne fonctionne que dans 70 % des conditions ou des allures, s'il capitule toujours juste au moment où barrer manuellement est le plus éprouvant, c'est-à-dire par gros temps ?

Obtenir un résultat satisfaisant avec un régulateur rudimentaire nécessite un surcroît de travail de la part de l'équipage. Devant la médiocrité du résultat, il est souvent plus simple de revenir au pilotage manuel que de modifier en permanence les réglages du bateau dans l'hypothétique espoir de tirer parti du régulateur.

La temporisation :
- l'aérien
- la liaison mécanique
- la pale immergée

L'amortissement au niveau de l'aérien

L'aérien V. Un aérien V qui pivote autour d'un axe vertical (principe de la girouette) est très peu dévié par le vent - tout au plus selon un angle équivalent à la déviation par rapport à l'allure - et l'écoulement du vent est quasi permanent sur les deux faces de l'aérien, générant ainsi un niveau élevé d'amortissement.

L'aérien H. Un aérien H qui pivote autour d'un axe horizontal est sujet à des mouvements extrêmes dus au vent, au point d'arriver en butée à 90° dans certains cas. Le vent n'agit que sur une des faces de l'aérien dont les mouvements sont donc davantage fonction de la force du vent que de son incidence. Le taux d'amortissement est par conséquent très faible car l'aérien ne se redresse et ne reçoit à nouveau le vent sur l'autre face que lorsque le bateau est revenu sur l'allure. La conséquence majeure de ce principe est une durée trop importante de l'impulsion de pilotage, autrement dit, un amortissement trop tardif. En inclinant l'axe horizontal vers l'arrière - c'est-à-dire en le rapprochant de l'axe vertical - on réduit la sensibilité du système ; l'amplitude de la correction de cap est alors réduite car l'écoulement atteint le côté sous le vent plus tôt et plus rapidement, ralentissant ainsi la bascule de l'aérien.

Marcel Gianoli, un des pionniers cité précédemment, a apporté une énorme contribution au domaine du régulateur d'allure en mettant en évidence l'angle d'inclinaison optimale de l'aérien qui est de 20° vers l'arrière.

L'impulsion de barre émise par l'aérien est transmise par un engrenage ou une bielle et transformée en rotation de la pale immergée. Amortissement ou réglage manuel :

Caractéristiques de trois types d'aérien

	Aérien H	Aérien V	Aérien H, 20°
Puissance	Forte	Faible	Moyenne
Course	Forte	Faible	Moyenne
Comportement au vent	Instable	Stable	Moyen
Rayon de rotation	Petit	Grand	Moyen
Sensibilité	Elevée	Faible	Moyenne
Amortissement	Léger	Fort	Moyen

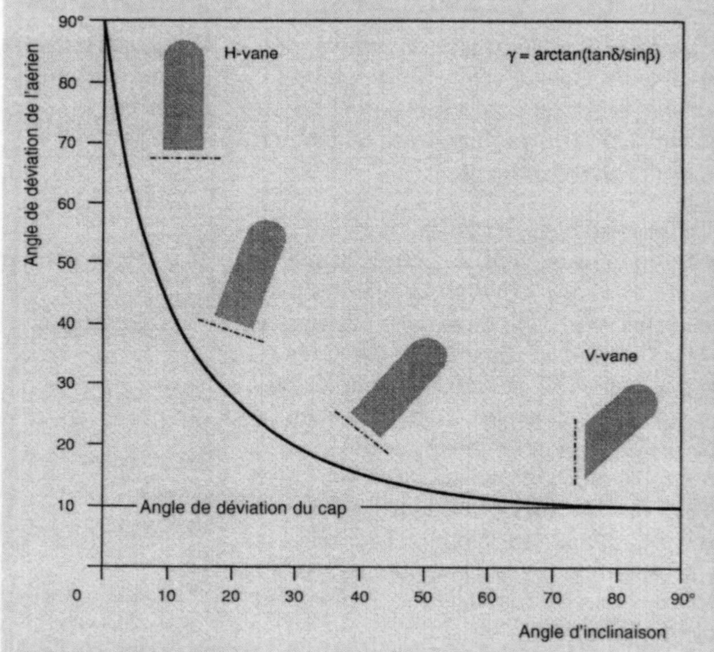

Un aérien H qui pivote autour d'un axe exactement horizontal peut subir une déviation de 90° (sur un de ses côtés) avant que le vent n'atteigne l'autre côté de l'aérien pour ralentir ou amortir le déplacement latéral. L'impulsion de pilotage est trop élevée. Un aérien V en rotation autour d'un axe vertical subit une déflexion maximale de 10°, équivalent à l'angle de déviation du bateau par rapport à l'allure préréglée. L'impulsion de barre est trop faible. Un aérien H qui pivote autour d'un axe incliné à 20° est le compromis optimal entre impulsion de barre et amortissement.

Presque tous les régulateurs avec aérien H sont conçus sur ce principe. On distingue deux catégories principales :

1. Les aériens à inclinaison fixe de 20° vers l'arrière (Atoms, Fleming, Monitor, Mustafa, Navik, Cap Horn, Sailomat).
2. Les aériens H avec inclinaison réglable jusqu'à 20°. Ce réglage permet d'améliorer la qualité du pilotage en ajustant l'inclinaison en fonction des conditions de vent. En pratique on augmente l'inclinaison jusqu'à 20° à mesure que le vent fraîchit. (Aries, BWS, Hydrovane, Windpilot Pacific). En réglant l'inclinaison de l'aérien, on modifie le bras de levier par rapport à l'action du vent, plus l'aérien est vertical plus l'impulsion de barre émise par le régulateur d'allure est forte. En revanche plus l'inclinaison vers l'arrière est importante, plus le bras de levier est court et moins le signal est fort.

Amortissement sur la liaison mécanique

1. Safran auxiliaire avec aérien V. Aucune mesure supplémentaire n'est requise, l'amortissement inhérent à l'aérien V est suffisant. Le signal peut donc être transmis par engrenage cylindrique ou roues dentées de rapport 1:1 (Windpilot Atlantik/Caribic).

2. Safran auxiliaire avec aérien H. L'amortissement est ici indispensable, puisque l'angle de barre (piloté par l'aérien) est davantage fonction de la force du vent que de son incidence, et peut devenir excessif, entraînant une surcorrection par vent fort. L'angle de barre peut être réduit manuellement en changeant le rapport de transmission de sorte à diminuer la puissance de l'aérien H (Hydrovane).

3. Fletner. L'amortissement est souhaitable, mais complexe à réaliser du fait de la nécessité de transmettre les signaux à un axe supplémentaire et éloigné (mèche du fletner). La puissance de la correction d'allure produite par le safran auquel le fletner est attaché produit en général un amortissement suffisant. Le réglage manuel de la transmission entre aérien et liaison rend le système plus facile à ajuster.

4. Système servo-pendulaire.
(Voir Amortissement du lacet, Chapitre 5)
Amortissement très développé utilisant un engrenage conique avec rapport de réduction de 2:1. C'est ce qu'on appelle un « amortissement automatique » car le bras bascule d'une manière clairement définie à chaque impulsion de pilotage, l'angle d'incidence de la pale pendulaire diminue au fur et à mesure de son inclinaison jusqu'à ce qu'elle soit ramenée parallèle à l'écoulement (Aries, Monitor, Windpilot Pacific). On distingue quatre types d'approche pour ce qui est des systèmes servo-pendulaires :
- Engrenage conique - son secteur d'orientation est limité par les deux tubes qui guident les drosses jusqu'au bras pendulaire ; ces tubes restreignent le déplacement latéral du bras et l'empêchent de se relever (Aries, Monitor).
- Engrenage conique sur 360° dans lequel les pignons s'engrènent pour pivoter sur un secteur de 270°, permettant au bras pendulaire de basculer latéralement hors de l'eau (Windpilot Pacific). Les liaisons par engrenages coniques de rapport 2:1 sont maintenant la norme chez les grands fabricants de systèmes servo-pendulaires (Aries, Monitor, Windpilot Pacific). Le rapport de transmission 2:1 double la puissance de poussée de l'aérien tout en divisant par deux le déplacement du bras pendulaire.

- Les systèmes qui utilisent d'autres dispositifs mécaniques pour contrôler le déplacement de la pale pendulaire (Cap Horn, Atoms).
- Les systèmes dans lesquels la transmission, ou liaison mécanique, n'apporte aucun amortissement.

5. Systèmes à safran auxiliaire et pale pendulaire. Ils dépendent du système servo-pendulaire incorporé. On distingue :
- Les systèmes servo-pendulaires avec amortissement automatique du lacet par engrenage conique et inclinaison du bras pendulaire de 10° vers l'arrière combiné à l'amortissement inhérent au safran auxiliaire (Windpilot Pacific Plus) ;
- Les systèmes servo-pendulaires amortis par l'inclinaison de la mèche pendulaire à 34° vers l'arrière, combinée au contrôle inhérent au safran auxiliaire (Stayer/Sailomat 3040).

Amortissement au niveau de la pale

1. Safran auxiliaire. Celui-ci pilote directement et il est recentré ou amorti par la pression de l'eau qui circule sur ses deux faces.

2. Pale Pendulaire. En inclinant la mèche pendulaire vers l'arrière, on obtient un effet d'amortissement dans l'eau similaire à celui de l'aérien H dans l'air. L'inclinaison de la mèche limite le secteur de basculement de la pale pendulaire jusqu'à une certaine limite au-delà de laquelle la force de l'eau la ramène dans l'axe du bateau.
Les alternatives sont :
- Bras vertical et liaison mécanique avec engrenage conique (Aries, Monitor) ;
- Mèche inclinée à 34° vers l'arrière pour l'amortissement et pas d'engrenage conique. Ces systèmes exigent un réglage manuel de la transmission du signal entre l'aérien et la biellette de liaison de façon à ajuster correctement le rapport entre le déplacement de l'aérien et celui de la mèche pendulaire (Sailomat 601) ;
- Engrenage conique, bras incliné de 10° vers l'arrière (Windpilot Pacific).

3. Safran auxiliaire et pale pendulaire. Un régulateur d'allure doté de propriétés d'amortissement bien équilibrées appliquera toujours un angle de barre parfaitement dosé, évitant ainsi la surcorrection. La rétroaction entre la position du safran et celle de l'aérien garantit que la poussée sur la barre ne s'exerce que jusqu'à ce que l'aérien indique que le bateau a réagi et revient sur son allure. Dès que l'aérien commence à se redresser, la mèche pendulaire réduit la poussée à la barre et revient vers l'axe longitudinal du bateau.

Cela peut sembler assez compliqué sur le papier, mais heureusement il n'est pas nécessaire de comprendre toutes les subtilités de la mécanique pour goûter au plaisir et à la sérénité que procure le pilotage parfait de votre bateau par un régulateur d'allure bien amorti. Un tel système constitue également un excellent indicateur d'état du réglage de la voilure. Si la pale n'est jamais centrée et corrige systématiquement l'allure du bateau dans la même direction, vous pouvez être certain que le réglage des voiles est à corriger.

Tôt ou tard, chaque équipier se rend compte qu'il est profitable de se conformer aux suggestions du régulateur : corriger le réglage des voiles ou ajuster le safran principal pour soulager la pale pendulaire non seulement limite les contraintes sur le système, mais augmente également la vitesse du bateau. Les systèmes dotés d'un engrenage conique exercent une poussée sur le safran principal dont la force augmente progressivement jusqu'à ce que la rétroaction, par l'intermédiaire de l'aérien, ramène la pale immergée dans l'alignement central ; la surcorrection devient alors impossible.

Un régulateur moins bien amorti nécessite une attention soutenue de la part de l'équipage, particulièrement lorsque le vent est instable ou que les conditions se dégradent. Il faut assister le régulateur en anticipant la prise de ris et en réduisant les mouvements du bateau (trinquette). Cependant l'utilisation d'un tel système est épuisante surtout pour les navigateurs novices. En raison des nombreuses et fréquentes interventions nécessaires par certaines conditions de navigation, il est impossible de considérer que ces systèmes fournissent un pilotage efficace.

5 • Les différents types de systèmes

Les systèmes à aérien seul

L'impulsion de barre et la force de pilotage en provenance de l'aérien sont transmises directement à la barre par des drosses sans servo-assistance ni aide par une pale immergée supplémentaire.

Origine du signal	= vent
Origine de puissance	= vent
Elément de pilotage	= safran principal
Bras de levier	= 0 cm

L'origine de ce type de système est le modélisme. D'une médiocre efficacité, il ne génère pas suffisamment de poussée pour barrer un voilier dans toutes les conditions météorologiques.

Le premier régulateur de Francis Chichester, « Miranda » était un système à aérien seul dont la superficie atteignait 4 m^2 et le contrepoids 12 kg. Son efficacité est restée douteuse car il était incapable de développer une force suffisante pour bien contrôler la barre. Les régulateurs à aérien seul sont utilisables sur de petits bateaux (jusqu'à 6 m) pour naviguer au près. Même sur ces bateaux, leur puissance est insuffisante au portant et dès que la mer est légèrement formée.

Systèmes à aérien seul : QME, Windpilot Nordsee I. Il y a longtemps que les systèmes de ce type ne sont plus fabriqués. Ils ne sont mentionnés ici que dans l'optique de fournir un tableau complet au lecteur.

Les systèmes à safran auxiliaire

Un système à safran auxiliaire est une unité de pilotage discrète qui barre le bateau indépendamment du safran principal. L'aérien manœuvre la mèche du safran auxiliaire par l'intermédiaire d'une liaison mécanique en maintenant la correction jusqu'à ce que le bateau revienne sur l'allure désirée.

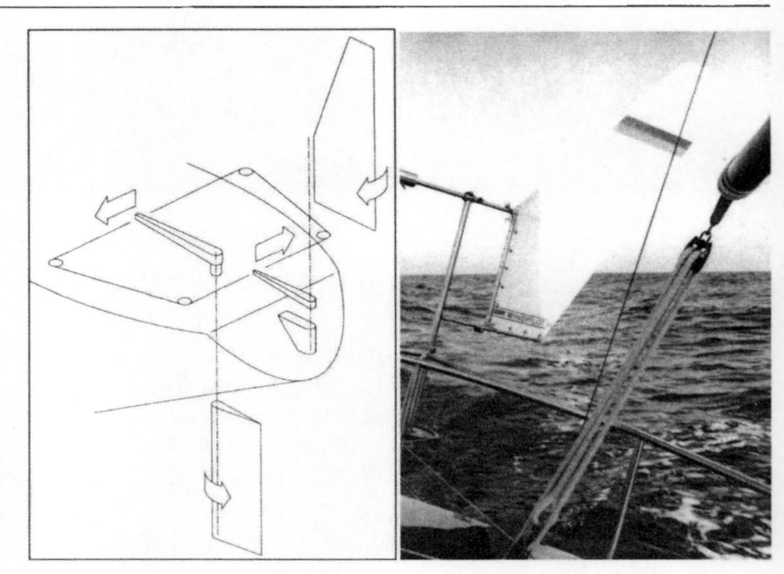

Aérien V seul : un Windpilot Nordsee à bord d'un Van de Stadt de 5 mètres.

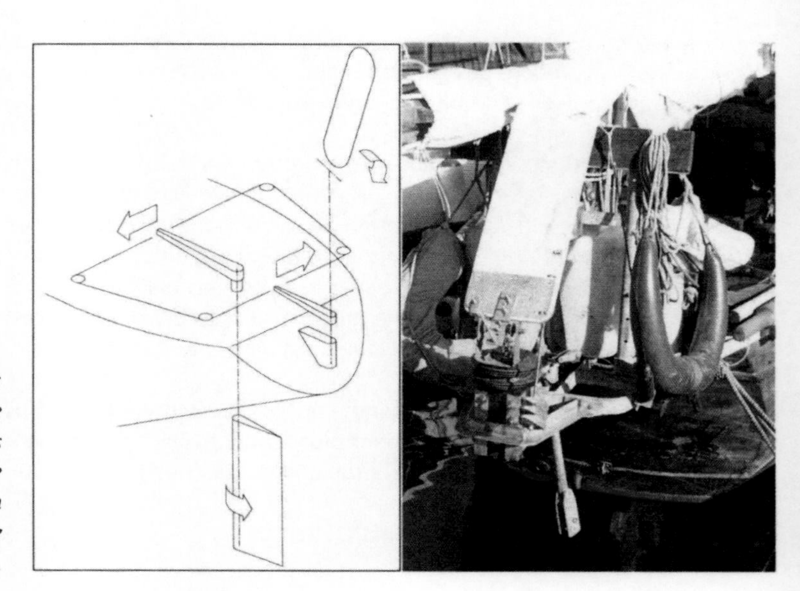

Aérien H seul : régulateur d'allure QME. Il s'agit plus d'une aide de pilotage que d'un réel système de pilotage.

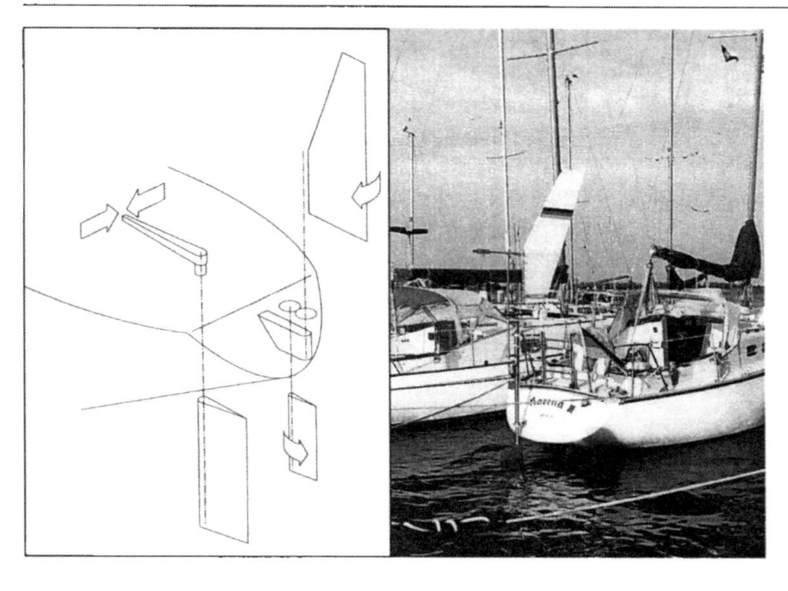

Système à safran auxiliaire et aérien V : Windpilot à safran auxiliaire convient au bateau de moins de 11 mètres.

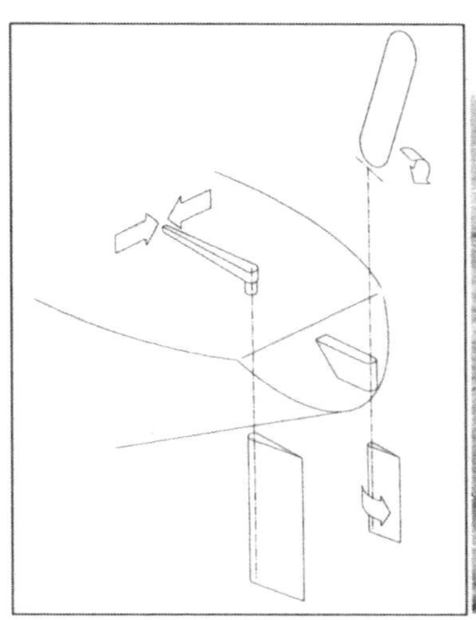

Système à safran auxiliaire et aérien H : le régulateur à safran auxiliaire Hydrovane développe plus de puissance que l'aérien V de l'Atlantik.

Origine du signal	= vent
Origine de la puissance	= vent
Elément de pilotage	= safran auxiliaire
Bras de levier (PL)	= 0 cm

Le safran principal reste fixe et s'utilise pour les réglages fins. Il contre l'ardeur du bateau, permettant au régulateur de se concentrer uniquement sur les petites corrections d'allure. Ces systèmes sont efficaces à condition que la surface du safran principal soit trois fois plus grande que celle du safran auxiliaire. On calcule facilement ce rapport à partir des dimensions du safran principal et des dimensions du safran auxiliaire données dans les caractéristiques des différents systèmes.

La puissance produite par les systèmes à safran auxiliaire est limitée par l'absence d'une servo-assistance. Ils sont incapables de piloter les grands bateaux de manière efficace. Les régulateurs à safran auxiliaire de Windpilot, des gammes Nordsee et Atlantik, ont été utilisés avec succès sur des bateaux jusqu'à 11 m de long, mais ont dû, au-delà de cette longueur, être limités au rôle d'aide au pilotage. C'est pour cela qu'en 1985, Windpilot les a abandonnés pour passer à d'autres systèmes.

Les régulateurs à safran auxiliaire de Hydrovane sont utilisables sur les voiliers jusqu'à 15 mètres de long. Cependant la longueur limite, en termes de « pilotage efficace », est probablement inférieure car les systèmes ne disposent pas d'une servo-assistance et le rapport entre la surface du safran principal et celle du safran auxiliaire est peu favorable aux grands voiliers.

Pilotage efficace

Le terme a brièvement été évoqué dans le chapitre précédent. Ici, il est utilisé pour faire la différence entre un régulateur d'allure capable de piloter un bateau d'une longueur donnée dans quasiment toutes les conditions de navigation et un régulateur d'allure ne pouvant être considéré que comme une aide au pilotage à partir de certaines conditions définies par la force du vent, l'état de la mer et l'allure. Cette notion est fondamentale si l'on veut évaluer les capacités d'un régulateur ; un système incapable d'accomplir correctement son rôle n'est d'aucun intérêt.

L'évaluation d'un régulateur se fait bien sûr par rapport au type de navigation pour lequel il peut être utilisé. Un système fiable uniquement au près est parfaitement suffisant pour des navigations de week-end ou de vacances. Par contre, les sollicitations sont différentes pour une traversée océanique au portant dans les alizés. En cas d'insuffisance du régulateur, barrer manuellement pendant des jours et des jours est une contrainte fastidieuse et éprouvante en équipage réduit qui peut mettre prématurément un terme à l'aventure.

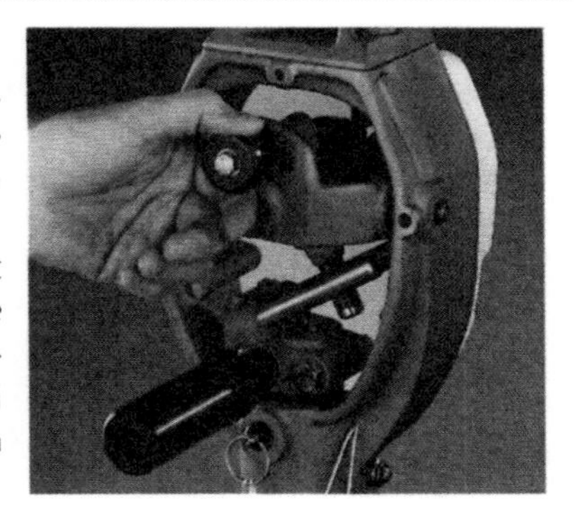

Pour un bon amortissement, la liaison de l'Hydrovane est démultipliée par un engrenage.

Catégories de systèmes à safran auxiliaire

Safran auxiliaire avec aérien V. Dans ce type de systèmes, l'aérien V fait directement pivoter le safran auxiliaire (ex : le système Atlantik de Windpilot) par l'intermédiaire d'un engrenage au rapport 1:1. Les caractéristiques d'amortissement sont bonnes. Les systèmes de ce type sont conseillés pour des bateaux d'une longueur inférieure à 11 m.

Safran auxiliaire avec aérien H. Dans ces systèmes (ex : Hydrovane) l'amortissement est moins efficace que dans la catégorie précédente. Pour palier cette infériorité, ils disposent d'un engrenage réducteur qui offre trois options pour l'ampleur des rotations imposées au safran. Cependant, ils développent une puissance de pilotage supérieure à celle d'un aérien V et peuvent, par conséquent, être utilisés sur de plus grands bateaux.

Avantages des systèmes à safran auxiliaire

Etant donné que le safran auxiliaire agit complètement indépendamment du safran principal, il peut parfaitement jouer le rôle de safran de secours en cas d'avarie. C'est un atout non négligeable en matière de sécurité active, particulièrement sur les voiliers modernes dont le safran suspendu n'est pas protégé par un aileron. Le plan anti-dérive supplémentaire, tout à fait à l'arrière du bateau, permet non seulement d'amortir les mouvements du bateau dans une mer formée, mais également de rendre le bateau moins ardent.

La construction simple et solide des systèmes à safran auxiliaire leur confère une longévité accrue. Les seules graves avaries à craindre sont celles consécutives à des collisions par l'arrière - mais on peut trouver une consolation en constatant que la réparation du safran est quand même moins coûteuse que celle du tableau arrière !

Mode de fonctionnement :
* Amener le bateau sur l'allure souhaitée,
* Fixer la barre en position,
* Orienter l'aérien dans le lit du vent,
* Enclencher la liaison entre l'aérien et le safran auxiliaire,
* Affiner le réglage de l'allure à l'aide du gouvernail principal.

Inconvénients des systèmes à safran auxiliaire

Rares sont ceux qui admirent la beauté de leur régulateur à safran auxiliaire. Ces systèmes sont volumineux, encombrants et lourds, et l'extrémité d'un bateau, surtout s'il est petit, n'est pas l'endroit idéal où installer 30 à 45 kg de poids supplémentaire.

La puissance de pilotage, limitée par l'absence de servo-assistance, ne permet pas d'espérer un pilotage efficace sur les bateaux de grande taille (voir plus haut).

Lorsqu'il n'est pas utilisé, le safran auxiliaire est généralement bloqué dans l'axe. Dans cette position, il réduit la manœuvrabilité du bateau et augmente son rayon de giration. Curieusement, ce handicap apparent est en fait un avantage sur certains bateaux : en effet, l'augmentation de la surface du plan anti-dérive en arrière du safran principal diminue, en marche arrière, le temps de réponse des bateaux à quille longue aux mouvements de la barre, en réduisant la déviation de trajectoire provoquée par le sens de rotation de l'hélice.

La surface importante des aériens associés à ce type de régulateurs complique leur utilisation à bord de Ketchs ou de Yawls lorsqu'on utilise l'artimon ou le tapecul.

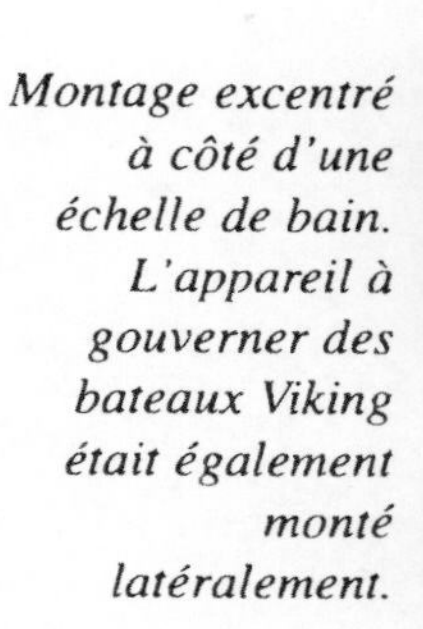

Montage excentré à côté d'une échelle de bain. L'appareil à gouverner des bateaux Viking était également monté latéralement.

Installation

Le régulateur à safran auxiliaire s'installe soit au centre, soit en position excentrée sur le tableau arrière pour éviter l'échelle de bain par exemple. Comme les Vikings l'ont découvert il y a très longtemps, le décalage latéral du safran a peu d'incidence sur les performances du pilotage. Sur ces Drakkars, les safrans étaient systématiquement placés à tribord et le barreur tournait le dos au côté bâbord.

La fixation de ce système serait grandement améliorée par la pose d'un support inférieur en V. (à gauche). Montage excentré à côté d'un safran extérieur. La distance minimale entre les deux safrans est de 30 cm (à droite)

Dans certaines conditions de mer, le safran auxiliaire subit des contraintes latérales considérables, il faut donc porter une attention toute particulière à la robustesse et à la solidité de sa fixation au tableau arrière. La pose sur les bateaux à arrière norvégien ou à grand élancement du tableau arrière (surplombant l'eau) exige l'utilisation d'une platine en forme de V permettant de supporter la partie inférieure du régulateur. Sur les bateaux modernes à tableau arrière inversé (incliné vers l'avant), il suffit d'un solide support incliné.

Le safran auxiliaire doit être positionné au moins à 20 à 30 cm en arrière du safran principal (cela pose parfois un problème pour les bateaux modernes à l'arrière ouvert et dont le safran est très en arrière). Lorsque la distance entre les deux safrans est trop courte, la pale du safran auxiliaire évolue dans l'écoulement turbulent du safran principal, ce qui a pour effet indésirable de réduire sensiblement sa puissance, et partant, d'altérer l'efficacité du système tout entier.

Lorsque le safran principal est fixé au tableau arrière, il faut veiller à respecter un écart latéral minimal de 30 cm avec un éventuel safran auxiliaire excentré. Un tel décalage par rapport à l'axe longitudinal est préjudiciable à l'efficacité du régulateur quand il se retrouve au vent et que le bateau gîte significativement. La pale immergée du régulateur d'allure sort alors partiellement de l'eau, ce qui réduit sa surface efficace.

Les régulateurs d'allure à safran auxiliaire fonctionnent mieux à bord des bateaux traditionnels à quille longue et grand tableau arrière surplombant la surface de l'eau. Sur ce type de voiliers, le safran auxiliaire est suffisamment loin derrière le safran principal pour être à l'abri des effets néfastes des turbulences engendrées par celui-ci. De plus la distance qui sépare les deux safrans allonge considérablement le bras de levier du safran auxiliaire, ce qui augmente sa puissance en proportion.

Les fabricants les plus connus de régulateurs d'allure à safran auxiliaire sont : Windpilot et Hydrovane.

Le régulateur d'allure à fletner sur safran auxiliaire

Comment ça marche ?

L'impulsion de pilotage provenant de l'aérien est transmise au bord de fuite du safran auxiliaire sur lequel est fixé le fletner. Au fur et à mesure de la rotation du fletner dans un sens, le bord de fuite du safran auxiliaire est contraint à pivoter dans le sens opposé. Le déplacement du safran auxiliaire entraîne alors la correction d'allure. Le safran principal reste fixe et s'utilise pour les réglages fins de la même manière que s'il était associé à un régulateur à simple safran auxiliaire.

Origine du signal	= vent
Origine de la puissance	= vent
Elément de pilotage	= safran auxiliaire
Bras de levier (PL)	= 20 cm environ

Les fletners sont très petits, en général leur superficie ne dépasse pas 20 % de celle du safran auxiliaire.

Il y a un double avantage à faire passer le signal de l'aérien par un fletner avant qu'il n'atteigne le safran auxiliaire :

1.La surface de l'aérien peut être réduite car le fletner qu'il fait pivoter est lui-même petit.

2.La distance entre l'axe de rotation du fletner et l'axe de rotation du safran auxiliaire produit un effet servo. La puissance de ce système est donc supérieure à celle du régulateur d'allure à simple safran auxiliaire. On peut faire l'analogie avec la manière dont un petit fletner, sur le bord de fuite d'une aile d'avion, est capable de faire pivoter le volet entier et donc de piloter l'avion.

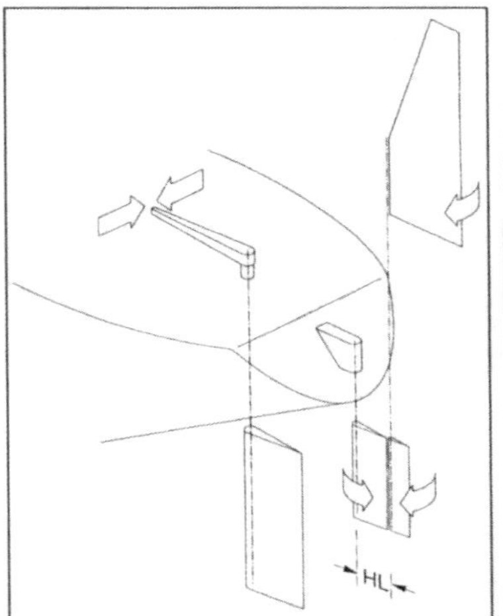

Régulateur à fletner sur safran auxiliaire et aérien V : un régulateur RVG à fletner sur safran auxiliaire et aérien V, équipant ce voilier de 10 mètres en fibre de verre amarré à Palma de Majorque.

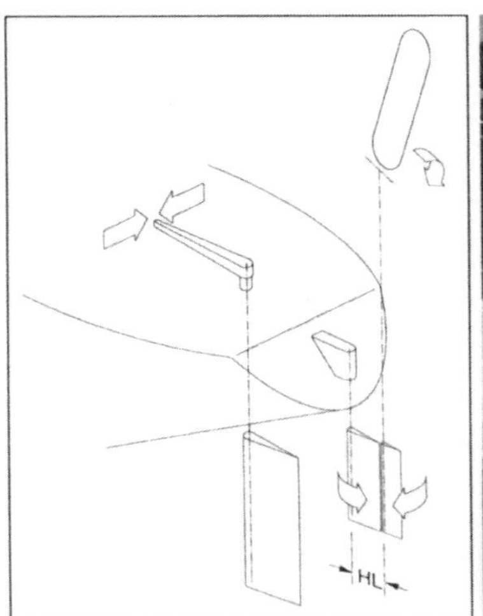

Régulateur à fletner sur safran auxiliaire et aérien H : un régulateur Mustafa à fletner sur safran auxiliaire et aérien H, le dinosaure des régulateurs d'allure.

Longueur du bras de levier = servo-puissance. La distance entre l'axe du safran auxiliaire et l'axe du fletner quantifie la puissance du levier qui engendre l'effet servo. Cette distance entre les deux axes est généralement d'environ 20 cm. Ainsi, l'effet servo maximal que l'on peut obtenir de ce type de système reste assez faible. L'effet peut être renforcé, dans une certaine mesure, en pré-équilibrant le safran auxiliaire, mais la puissance de pilotage en sortie restera relativement faible car le fletner est incapable de faire pivoter le safran auxiliaire de plus de 10°.

Les systèmes équipés de fletner représentent une étape importante de l'évolution des régulateurs d'allure. L'utilisation du fletner pour amplifier l'impulsion de l'aérien a été le premier pas vers la conception de régulateurs d'allure plus compacts et plus puissants. Aujourd'hui, cette conception est dépassée et, comme nous allons le voir, la technologie a considérablement progressé en matière de régulateurs d'allure.

Avantages et inconvénients

Avantages. La surface de l'aérien diminue alors même que la puissance de pilotage augmente. Le safran auxiliaire fonctionne indépendamment du safran principal et peut donc être utilisé comme safran de secours. A ces avantages spécifiques, s'ajoutent tous ceux des simples régulateurs d'allure à safran auxiliaire.

Inconvénients. Même si l'aérien est plus petit sur ces régulateurs d'allure, l'ensemble est encore plus gros, plus volumineux et plus lourdsque les régulateurs à simple safran auxiliaire. De plus les manœuvres au moteur sont encore plus difficiles ; un safran auxiliaire avec fletner est presque impossible à immobiliser, la marche arrière au moteur se transforme rapidement en exercice de haute voltige susceptible de déclencher l'hilarité générale sur les pontons alentour. Enfin, il est difficile d'intégrer à ces systèmes un dispositif d'amortissement du lacet, et la plupart de leurs utilisateurs se débrouillent pour s'en dispenser.

Installation

Les régulateurs à fletner sur safran auxiliaire se montent dans l'axe du tableau arrière. Certaines conditions de mer imposent des charges élevées sur les deux éléments du système : le tableau arrière et le support doivent être robustes pour supporter le poids considérable du régulateur. Les systèmes à aérien V ont un rayon de rotation relativement élevé, l'aérien H - qui reste plus facilement éloigné des mâts d'artimons - est donc plus approprié pour des bateaux gréés en yawl ou en ketch.

Les fabricants de régulateurs à fletner sur safran auxiliaire sont : 1. aérien V : RVG ; 2. aérien H : Auto Helm, BWS Taurus, Mustafa

Régulateur avec fletner sur safran principal

Comment ça marche ?

Le fletner est fixé sur le bord de fuite du safran principal, et entraîne directement sa rotation.

Origine du signal = vent
Origine de la puissance = l'eau
Elément de pilotage = safran principal
Bras de levier (PL) = 30 - 50 cm

Très répandue parmi les premiers régulateurs, cette configuration était surtout présente sur les bateaux à quille longue et gouvernail extérieur. La simplicité du principe permettait la fabrication par l'utilisateur lui-même. Sur son *Joshua*, Bernard Moitessier utilisait le plus simple des régulateurs à fletner. Le fletner était fixé sur le bord de fuite du safran principal et pivotait autour d'un prolongement de l'axe de l'aérien.

Ces systèmes ont tendance à surcorriger et ils n'ont généralement pas d'amortissement du lacet ; par conséquent ils ne fonctionnent bien que sur les bateaux bénéficiant d'une stabilité de cap maximale. De plus les réglages doivent être proches de la perfection de façon à ce que le bateau puisse être barré par des mouvements de faible amplitude. Dans certaines conditions, cette contrainte impose une réduction importante de voilure pour permettre au régulateur de conserver à peu près son allure au détriment des performances du bateau.

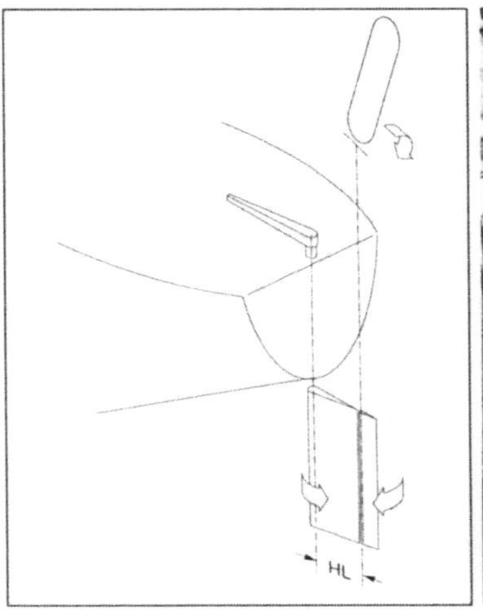

Un régulateur à fletner sur safran principal et aérien H : le Windpilot Pacific construit sur mesure pour ce Kastelot danois.

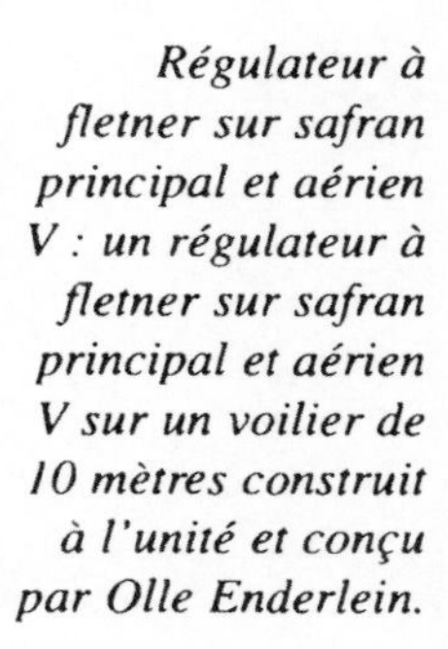

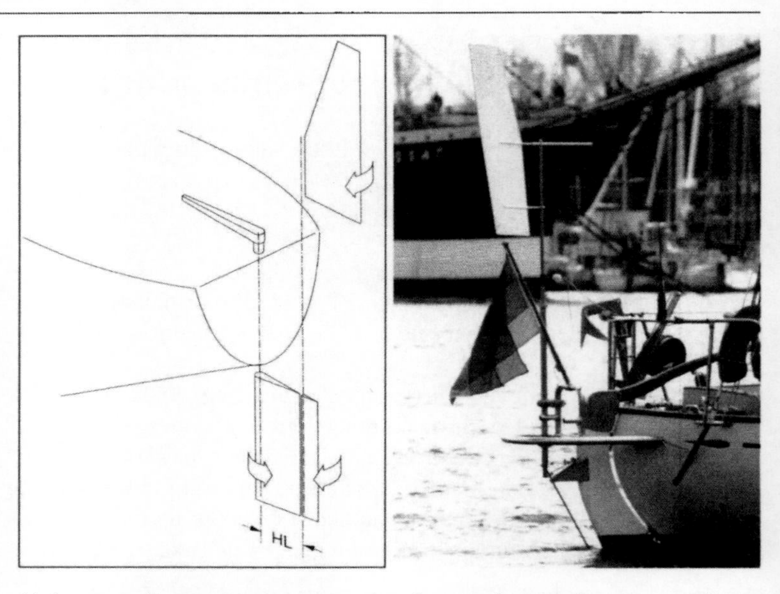

Régulateur à fletner sur safran principal et aérien V : un régulateur à fletner sur safran principal et aérien V sur un voilier de 10 mètres construit à l'unité et conçu par Olle Enderlein.

L'absence d'amortissement sur la plupart des systèmes complique sérieusement leur utilisation et ils ont quasiment disparu des tableaux arrière au profit des régulateurs servo-pendulaires modernes, même en France qui resta longtemps le fief des systèmes à fletner.

Avantages et inconvénients

Les systèmes avec fletner sur le safran principal présentent de nombreux inconvénients : ils sont très difficiles à amortir, le fletner est un vrai casse-tête en marche arrière au moteur, et une production industrielle est pratiquement impossible car les paramètres clés varient énormément d'un bateau à l'autre. Pratiquement chaque bateau a une forme de safran qui lui est propre et chacun de ces safrans possède une inclinaison et une position de la mèche en arrière du bord d'attaque qui lui sont propre. La compensation de chaque safran lui est donc spécifique et chacun requiert un fletner spécialement adapté à ses caractéristiques. Toutes ces raisons ont fait que ce système a quasiment disparu aujourd'hui.

Les fabricants de systèmes à fletner sur safran principal sont : Atlas, Hasler, Auto-Steer, Saye's Rig, Windpilot.

Le Saye's Rig est un hybride pendulum-fletner dans lequel le bras de levier est amplifié par un support directement fixé sur le safran principal.

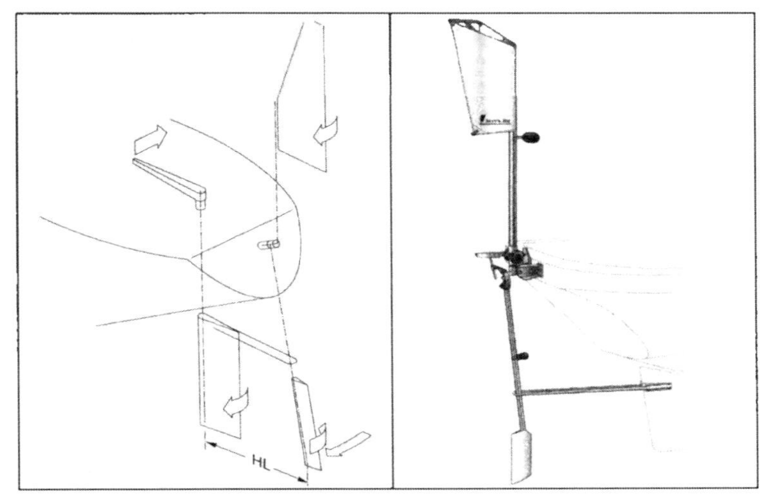

L'hybride pendulum-fletner à aérien V. (à gauche) Le Saye's Rig, un système hybride servo-pendule/fletner à aérien V ; le bras de levier rallongé donne de la puissance supplémentaire. (à droite)

Les régulateurs d'allure servo-pendulaires

Ce type de régulateur étant actuellement le système le plus répandu, nous allons consacrer les quelques pages qui suivent à son fonctionnement.

Comment ça marche ?

L'aérien fait pivoter la pale pendulaire immergée autour d'un axe vertical à l'aide d'une liaison mécanique. La pale est montée sur une mèche qui bascule librement de chaque côté, comme un pendule (d'où son nom), parallèlement au tableau arrière. Lorsque la pale pivote, la poussée exercée par l'écoulement de l'eau la fait basculer d'un côté. Le bras est relié à la barre par des drosses, ainsi le déplacement latéral de la pale pendulaire est transformé en une force de traction sur la barre (franche ou à roue) qui effectue la correction d'allure. Dès que le bateau est à nouveau sur son allure, l'aérien ramène le bras pendulaire dans l'axe.

Origine du signal	= le vent
Origine de la puissance	= l'eau
Elément de pilotage	= safran principal
Bras de levier	= jusqu'à 200 cm

L'énorme bras de levier dont dispose ce concept servo-pendulaire, comparativement aux autres régulateurs d'allure, reflète clairement les forces de pilotage et servo-dynamiques qu'il est capable d'engendrer.

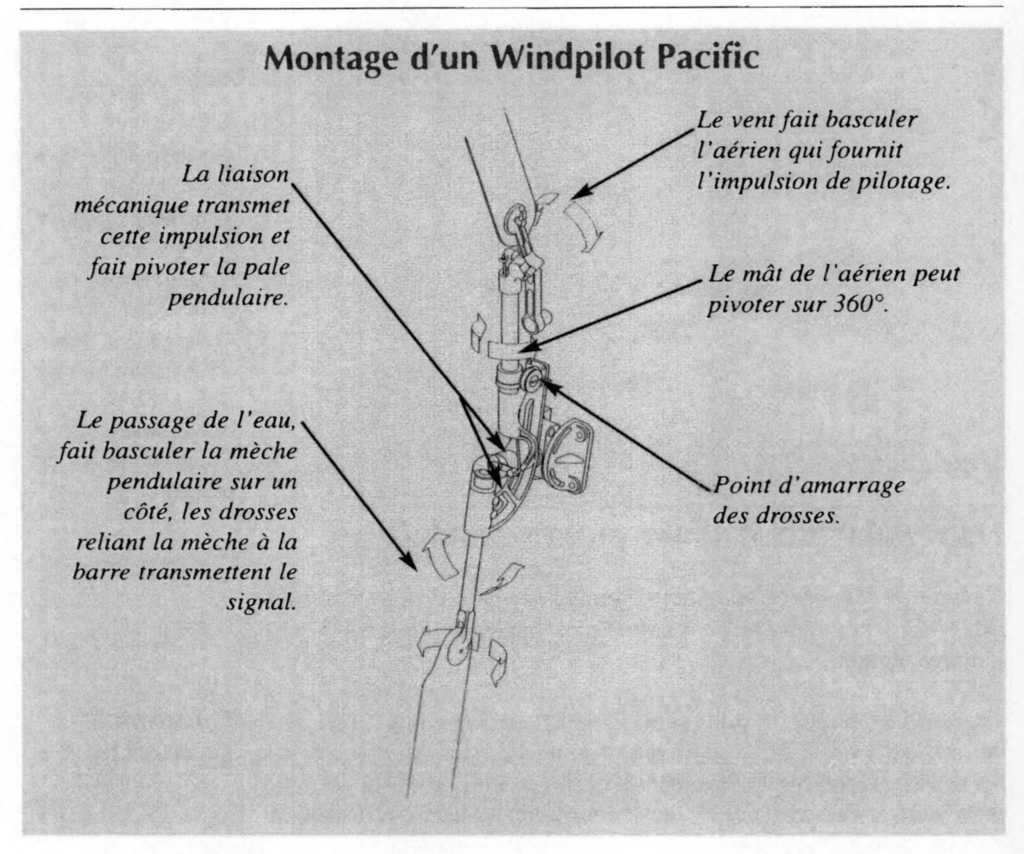

Le principe servo

Imaginez que vous êtes à l'arrière d'un bateau avançant à 6 nœuds et que vous tenez dans l'eau une planche de 2 m de long. Si vous alignez cette planche dans l'axe de l'écoulement, vous pouvez la tenir à l'aide de deux doigts. Pivotez-la légèrement et elle bascule violemment d'un côté (votre épaule représente alors l'axe de basculement de la mèche pendulaire).

En utilisant ce principe, la force hydrodynamique, générée par l'eau circulant de part et d'autre de la pale, peut produire une traction pouvant atteindre 300 kgF. Cela explique pourquoi un système servo-pendulaire est capable de barrer correctement de gros bateaux qui nécessitent de puissants appareils à gouverner mais qui permettent également d'exploiter une force hydrodynamique plus importante en raison de leur vitesse supérieure.

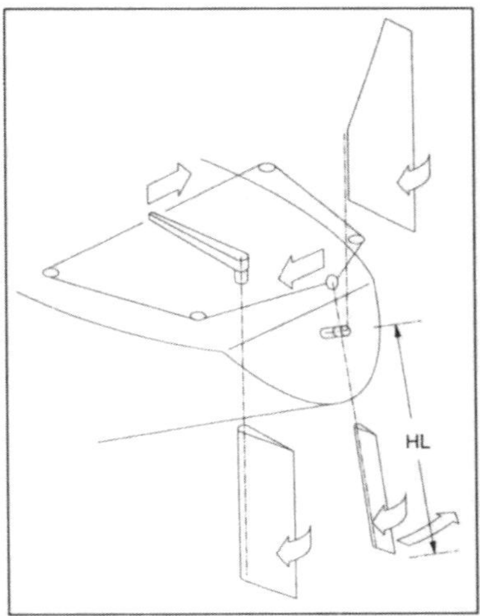

Régulateur d'allure servo-pendulaire à aérien V Windpilot PacificMKI (1969) en acier inoxydable.

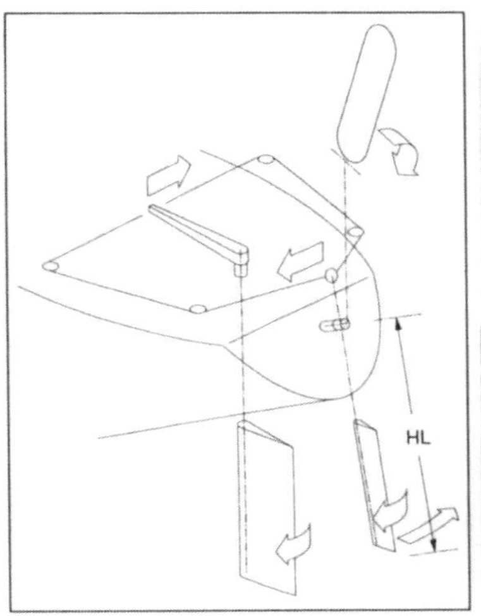

Le Régulateur d'allure servo-pendulaire classique Monitor à aérien H.

Amortissement du lacet

Un voilier sans barreur est un système instable, il s'oriente naturellement bout au vent. Un voilier avec barreur, pilote automatique ou régulateur d'allure est un système stable. La différence entre ces deux états, c'est tout simplement la poussée sur la barre, faible ou forte en fonction du réglage des voiles, de l'état de la mer, du vent, et des caractéristiques propres au bateau. Deux doigts suffisent parfois pour conserver l'allure du bateau, mais, en certaines occasions, il arrive que barrer soit une activité physique particulièrement éprouvante.

L'énorme potentiel de poussée des régulateurs servo-pendulaires est également leur principal inconvénient : à moins que la force transmise à la barre soit régulée d'une façon ou d'une autre, on s'expose à des corrections d'allure excessivement importantes ou prolongées conduisant à une surcorrection.

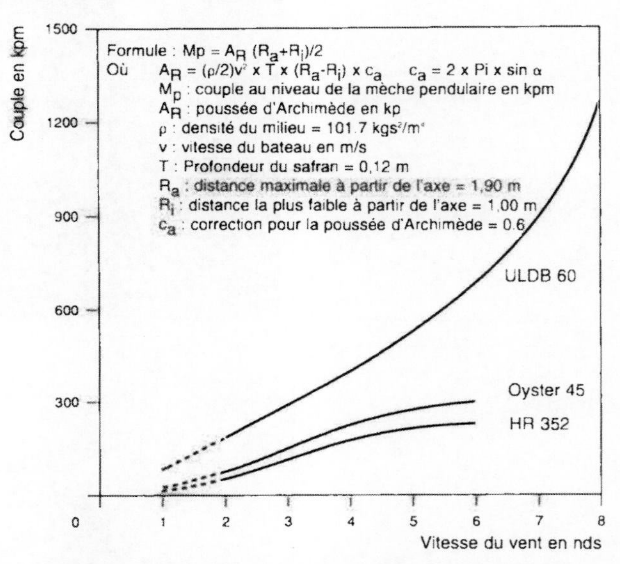

Ce graphique montre que le couple au niveau de la mèche d'un régulateur servo-pendulaire atteint une limite naturelle pour un voilier à déplacement lourd. Cette limite correspond à la vitesse maximale du bateau. Les ULDB dont la vitesse peut s'accélérer brutalement, par exemple, à l'occasion d'un surf, ne sont pas soumis à cette limite de vitesse. La formule est appliquée ici à un régulateur d'allure Windpilot Pacific avec une pale immergée mesurant 12 x 90 cm et disposant du bras de levier standard de 190 cm.

Considérons la façon dont un(e) équipier(e) expérimenté(e) tient la barre : il ou elle sait que des mouvements précis et limités de la barre suffisent à corriger l'allure, et il ou elle se garde donc de tout mouvement brusque. Si on déplace la barre vigoureusement ou avec une grande amplitude, il devient alors nettement plus difficile de déterminer quel est le cap exact du bateau ; d'où la surcorrection. De plus, des mouvements inutiles à la barre font perdre de la vitesse au bateau, ces pertes étant proportionnelles à la vigueur du mouvement.

Considérons maintenant la pale d'une hélice « en drapeau » (ex : un Max Prop) qui dans sa position « voile » est stationnaire dans le sillage de la quille. Si elle reçoit une impulsion mécanique, elle commence ses rotations autour de l'arbre ne s'arrêtant que lorsqu'on fait revenir l'hélice en configuration « traînée nulle ». Dans cette analogie, la pale de l'hélice représente la pale pendulaire, l'arbre d'hélice représente la mèche autour de laquelle le bras pendulaire pivote, et l'émetteur du signal mécanique représente l'aérien.

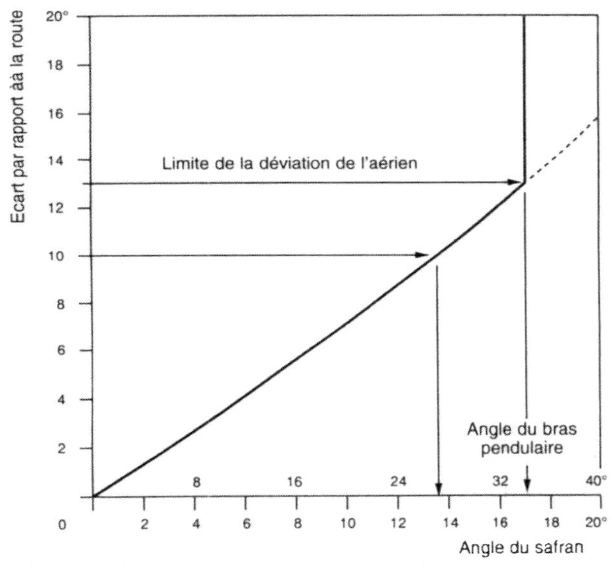

Windpilot Pacific avec aérien sur un axe incliné à 20° sur l'arrière : angle d'incidence du safran et du bras pendulaire en fonction de la déviation par rapport à l'allure. Un écart de 10° par rapport à l'allure provoque une inclinaison à 27° du bras pendulaire, qui à son tour fait pivoter le safran principal de 13° au maximum. La surcorrection du régulateur servo-pendulaire est faible (un écart de route de 10°, provoque une rotation de 13° du safran), ce qui explique les bonnes performances de pilotage de ces systèmes.

Si l'impulsion de l'aérien était transmise directement à la pale pendulaire sans le moindre amortissement, la mèche pendulaire basculerait trop, entraînant le risque de voir la pale sortir de l'eau, pour ne revenir dans l'axe qu'après émission d'une impulsion contraire par l'aérien. Un mouvement d'une telle amplitude augmenterait à l'excès la longueur des drosses destinées à transmettre les corrections au safran principal, de plus la rotation de ce dernier serait alors trop importante provoquant une surcorrection.

Dans le cas d'un régulateur servo-pendulaire, l'amortissement du lacet revient, en gros, à limiter le déplacement latéral du bras pendulaire. Un système équilibré combinant un aérien amorti avec un engrenage conique avec rapport de réduction 2:1 est capable de remplir cette fonction. Mais il existe une seconde raison à vouloir limiter le déplacement latéral du bras pendulaire. L'angle de gîte maximal d'un voilier est d'environ 30°, par conséquent le secteur de rotation pendulaire de la pale ne doit pas dépasser 28° si on veut être sûr d'éviter que l'effet de la gîte, associé à un grand déplacement de la barre, fasse sortir la pale hors de l'eau du côté au vent. Ce problème est évidemment accentué en cas de montage d'un régulateur servo-pendulaire monté en position excentrée, ce qui réduit encore plus la largeur du secteur opérationnel de la pale. Ce type d'installation est donc à éviter autant que possible (voir figure ci-dessous). La plupart des corrections d'allure impliquent un déplacement de la pale vers le côté au vent ; c'est le mouvement qui correspond à l'abattée et cette correction d'allure est de loin la plus fréquente.

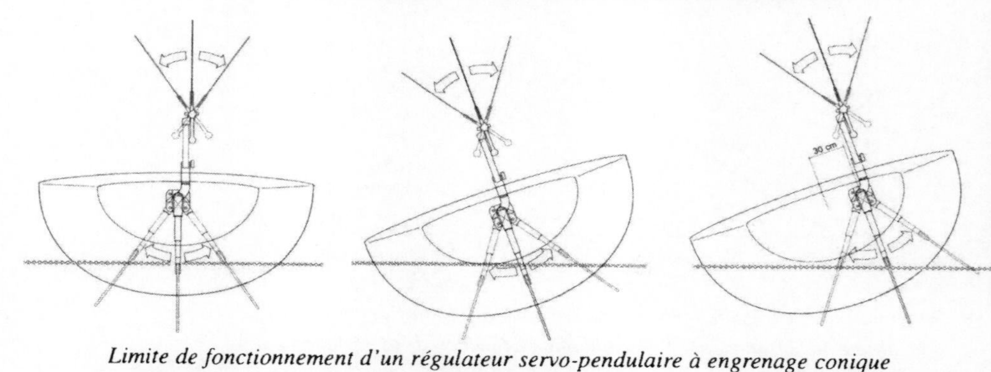

Limite de fonctionnement d'un régulateur servo-pendulaire à engrenage conique

aucune gîte, pale pendulaire immergée. — *bateau gîté, pale pendulaire immergée.* — *bateau gîté et régulateur excentré, la pale pendulaire sort de l'eau.*

L'impulsion de pilotage de l'aérien ne déplace pas la mèche de plus de 28°. Chaque fois que l'aérien fait pivoter la pale pendulaire, la mèche bascule d'un côté tout en réduisant l'angle d'incidence de la pale (mais de façon à ce que la pale reste décalée latéralement par rapport à l'axe médian). Cette configuration limite à 25 cm le déplacement des drosses et permet d'éviter efficacement les risques de surcorrection.

Aujourd'hui, l'aérien horizontal incliné à 20° (voir chapitre 4), assisté d'un engrenage conique avec un rapport réducteur de 2:1 représente le système de régulateurs servo-pendulaires le plus abouti. Aries, Monitor, et Windpilot Pacific utilisent cette même configuration.

Un système servo-pendulaire avec engrenage conique procure un pilotage parfait et exerce toujours la traction juste nécessaire pour ramener le bateau sur son allure. Quand on se laisse légèrement aller au niveau du réglage des voiles, la barre est maniée avec plus de vigueur car le système sollicite davantage la barre.

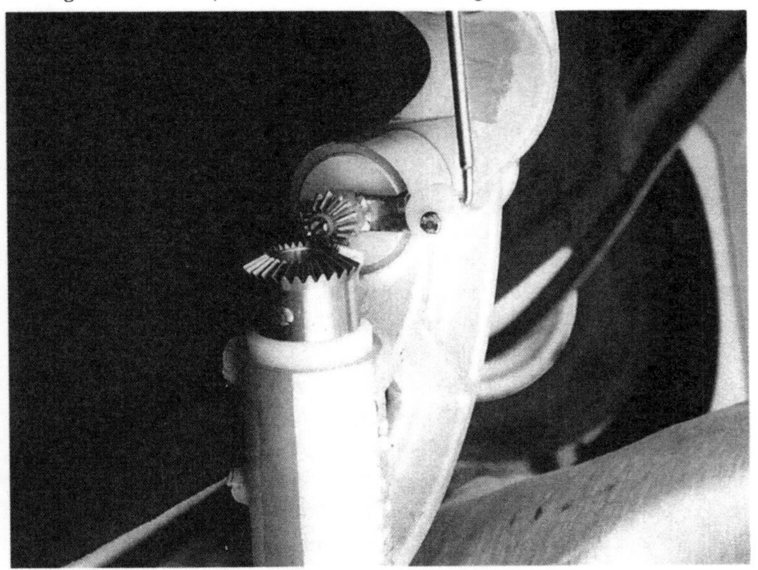

L'engrenage conique rapport 2:1 sur 360° du Windpilot Pacific.

Un système servo-pendulaire sans amortissement du lacet est particulièrement astreignant pour l'équipage ; il met en évidence la nécessité de tenir compte des caractéristiques telles que l'équilibre, le réglage des voiles et autres qualités inhérentes au voilier. Le vent et la mer ont également des répercussions importantes au niveau des performances de pilotage.

La biellette

L'impulsion de pilotage de l'aérien est transmise à la liaison mécanique via une biellette verticale. Après amplification par l'engrenage conique, l'impulsion commande le déplacement latéral de la pale. Ici, les forces en jeu sont en général d'amplitude moyenne, et l'important est de s'assurer que l'impulsion du signal est sensible, rapide et fiable même par vent faible. Dans le passé, les fabricants

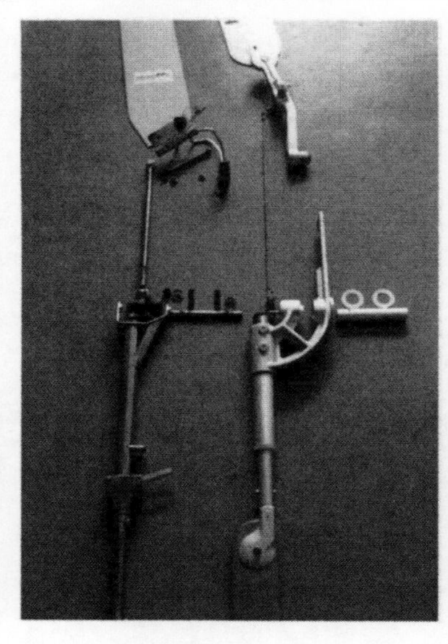

Le Windpilot Pacific (à gauche) et le Monitor sont basés sur le même concept, mais les dimensions de la biellette, le diamètre de l'axe de rotation de la mèche pendulaire et le cadre pendulaire sont différents.

avaient tendance à largement surestimer les forces appliquées à la biellette et donc à la surdimensionner. Aries utilise une robuste biellette pesant 1 kg, chez Monitor le même composant pèse 450 g ; le Windpilot Pacific, plus moderne, fonctionne avec un tube en inox de dimension Ø8 x 1 mm pesant 143 g, qui a prouvé sa robustesse sur des milliers de bateaux au cours des 12 dernières années. Il est bien évident que des concepts aussi différents donnent des performances de pilotage très différentes.

Note : La biellette est un des éléments déterminants pour la qualité du pilotage lorsque le vent est faible ; elle doit être aussi légère que possible et aussi solide que nécessaire, sans plus.

Transmission de la force de pilotage

La force générée par la pale pendulaire est transmise au bateau par des drosses. Dans un système conventionnel (Aries, Monitor), ces drosses partent du bas du régulateur et sont directement fixées à la mèche pendulaire. De là partent deux drosses (une de chaque côté) guidées jusqu'au niveau du pont par trois poulies, deux poulies supplémentaires conduisent ensuite chaque drosse à la barre. Ces systèmes exigent donc, en tout, dix poulies mais aussi une grande longueur de drosse. Par contre, les concepts modernes disposent d'une mèche pendulaire qui se prolonge en hauteur, permettant ainsi la fixation des drosses au niveau du pont. Le nombre de poulies passe alors de dix à quatre, diminution qui s'accompagne d'une réduction importante de la longueur des drosses.

Cheminement des drosses sur un bateau à arrière norvégien.

Sur ces systèmes modernes, une attention toute particulière doit être portée à veiller à ce que les drosses quittent bien la mèche pendulaire parallèlement au tableau arrière. Même si on peut tolérer un certain écart par rapport à la parallèle, un angle trop défavorable entraîne une réduction significative de la course des drosses alors que toute la course disponible est nécessaire, particulièrement sur les plus grands bateaux.

Pour faciliter l'utilisation de ces régulateurs d'allure à bord de bateaux où le tableau arrière est très large ou inversement de type norvégien, le concept de Windpilot Pacific inclut une barre transversale avec un point de fixation à chaque extrémité pour les poulies. Cette option n'est pas disponible sur le régulateur Sailomat 601.

Sur ce Windpilot Pacific, le positionnement des points de fixation des drosses au niveau du pont permet de réduire au minimum la longueur du système de transmission.

Un système servo-pendulaire fonctionne bien si la force est transmise sans à-coup du régulateur au safran principal. Les résultats sont meilleurs lorsque le chemin parcouru par les drosses est court et que le nombre de poulies est réduit. En d'autres termes, plus le chemin parcouru est long, plus les pertes sont élevées. Des drosses trop lâches ou trop élastiques et une barre dure réduisent l'efficacité du système. De la qualité de la transmission dépend le bon fonctionnement du régulateur.

La course des drosses

La course maximale des drosses est de 25 cm pour un régulateur doté d'un engrenage conique. Cette distance correspond au déplacement maximal de la mèche pendulaire au niveau du point d'amarrage des drosses. Une transmission inefficace de la force, des drosses mal tendues ou élastiques, ou un chemin de transmission trop long sont autant de facteurs de réduction de cette course.

Cette illustration met en évidence la longueur de la course des drosses (25 cm) sur un régulateur d'allure Aries, la même que sur les modèles Monitor et Windpilot Pacific.

Il arrive que la course se trouve ainsi réduite à 10 cm. A ce niveau de réduction, le régulateur ne tarde pas à se révéler d'une efficacité médiocre, pouvant même aller jusqu'à perdre le contrôle de la barre.

Un bon régulateur servo-pendulaire engendre jusqu'à 300 kg de traction sur la barre - assez pour barrer un voilier de 60 pieds (18 mètres) de façon confortable. La clef pour obtenir une bonne performance de pilotage à partir d'un système servo-pendulaire est tout simplement la qualité irréprochable du système de transmission.

Petit conseil : la course maximale des drosses, et par conséquent l'amplitude maximale de la correction appliquée à la barre, peut être augmentée en décalant la position centrée de l'aérien du côté sous le vent (il suffit pour cela d'ajuster l'adaptateur de barre). Cette méthode s'appuie sur le fait que presque toutes les corrections servent à faire abattre le bateau. C'est peut-être, dans des conditions extrêmes, la seule manière d'obtenir des angles de barre suffisamment élevés.

Transmission vers une barre franche

Une barre franche est idéale pour la transmission des forces de pilotage. Le cockpit arrière permet une réduction au minimum de la longueur des chemins de transmission et le déplacement, voire le positionnement sur un rail réglable du point de fixation sur la barre, comme on peut le voir sur certains bateaux rapides ou légers. Le mieux est de terminer les drosses par une petite longueur de chaîne, dont un maillon vient se coincer dans un point de fixation sur la barre. Sur certains systèmes, les drosses passent dans des taquets coinceurs montés sur la barre, mais on ne peut pas dire que ce soit la solution idéale.

On placera le point de fixation juste derrière l'endroit où vient se poser habituellement la main du barreur, soit à environ six-dixièmes de la longueur de la barre en avant de l'axe de rotation de la mèche. La direction des drosses, entre la barre et la poulie, est légèrement orientée vers l'arrière, de façon à suivre la rotation de la barre. L'avantage d'une telle disposition est de conserver une tension suffisante et régulière sur les drosses lorsqu'elles sont reliées à la barre et que le régulateur d'allure est enclenché.

Les drosses utilisées doivent obligatoirement être constituées de cordages ou câbles préétirés. Trop tendues, elles engendrent des frictions importantes sur l'axe, les roulements des poulies réduisant ainsi l'efficacité de la transmission. Ce problème est en partie résolu par l'utilisation de poulies à roulements à billes. D'autres facteurs peuvent contribuer à réduire l'efficacité de la transmission, comme un trop grand nombre de poulies, des drosses trop longues ou trop élastiques, et une barre trop dure.

Un des meilleurs choix (pour les drosses) est un cordage tressé et préétiré de 8 mm de diamètre. La charge de rupture de ce type de cordage est largement supérieure aux efforts auxquels il sera exposé, et l'allongement est, par conséquent, minimal. Il peut être intéressant d'intervertir les drosses au cours de longues traversées afin de déplacer les points d'usure par frottement contre le réa des poulies.

Le système de fixation de la chaîne de transmission du Windpilot Pacific sur une barre franche permet de désengager rapidement le pilote pour reprendre le contrôle manuel du bateau.

Les réglages fins avec une barre franche. Le dispositif de fixation des drosses par chaîne permet un réglage fin et aisé de l'allure lorsque le régulateur est en marche. Il permet également à l'équipage de le désactiver instantanément en cas de nécessité (pour une manœuvre d'urgence). Dès que la chaîne est libérée, le régulateur n'a plus aucune influence sur le pilotage et suit dans le sillage du bateau comme un petit chien. Sa déconnexion supprime la nécessité de déposer l'aérien.

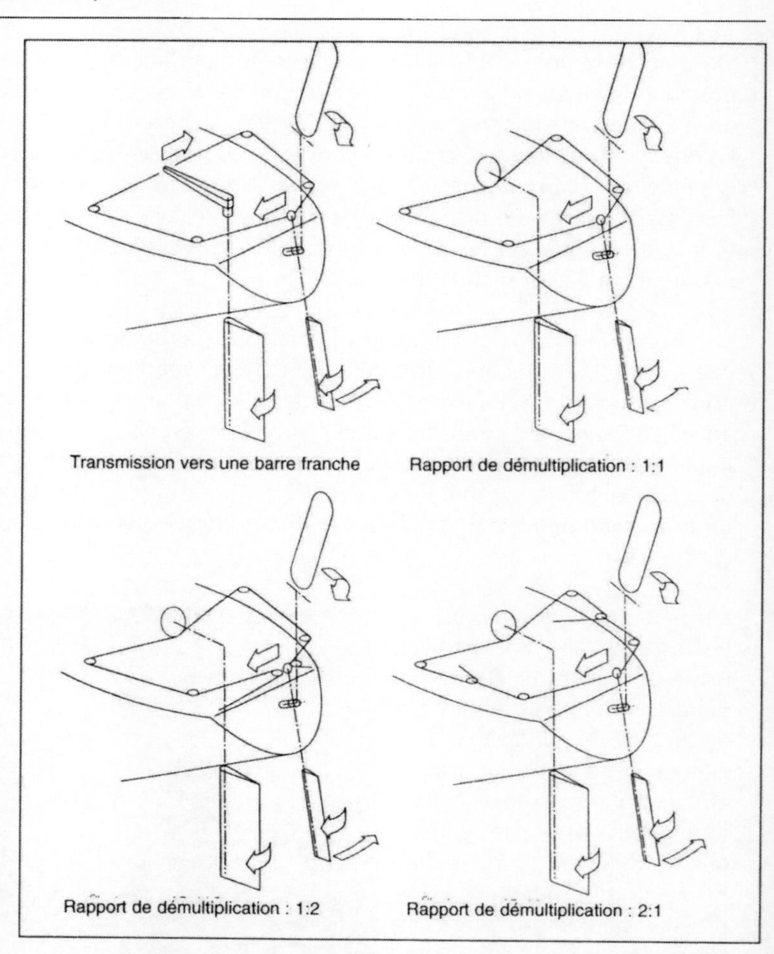

Transmission par drosses : les quatre solutions applicables à un régulateur servo-pendulaire.

Transmission vers une barre à roue mécanique. La transmission vers une barre à roue est moins efficace car le trajet du régulateur au safra, est beaucoup plus long. Pour atteindre le safran, les commandes de pilotage passent par la barre à roue, le mécanisme de barre et le secteur de gouvernail. Les pertes en charge sont donc plus élevées, réduisant ainsi la course maximale des drosses (25 cm).

Pratiquement tous les bateaux de plus de 11 mètres sont maintenant équipés de barre à roue. Cela tient au fait que la taille du safran est trop importante pour qu'un barreur puisse piloter de façon confortable sans système de réduction de l'effort. Cela dit, de nombreux bateaux seraient plus faciles à barrer s'ils étaient équipés d'une barre franche.

Les systèmes de barre à roue modernes transmettent mécaniquement les efforts de pilotage au secteur de gouvernail par l'intermédiaire de câbles gainés. Le diamètre moyen des barres à roues est de 60 cm pour un nombre de tours de butée à butée de 2,5. Pratiquement tous les fabricants de systèmes servo-pendulaires conçoivent leurs adaptateurs de barre en se basant sur cette valeur. A quelques exceptions près, les adaptateurs de barre ont un diamètre de 16 cm (donc une circonférence de 53 cm). Avec de telles dimensions, il est évident que même dans des conditions de transmission idéales une course maximale de 25 cm correspond à un peu moins d'un demi-tour de roue.

Toutes les roues sont conçues en partant du principe que la même quantité de force est appliquée à la barre par le barreur. Cela signifie que les roues dont le diamètre est plus élevé font généralement moins de tours de butée à butée ; ainsi sur une grande roue, un adaptateur de barre doit exercer plus de force à partir d'une course plus faible des drosses.

Trois alternatives principales sont possibles pour transmettre la force d'un régulateur servo-pendulaire à une barre à roue. Le passage des drosses dans les poulies peut se faire de la façon suivante :
- directement, donc avec un rapport 1:1 ;
- doublé, on double la course mais on divise la puissance par deux ;
- en utilisant des poulies volantes, c'est-à-dire la moitié de la course pour le double de la force.

Les deux drosses cheminent du même côté, la connexion se fait par des mousquetons.

Ces configurations donnent des performances de pilotage satisfaisantes si elles sont convenablement installées. Néanmoins, aucune n'atteint la qualité de transmission offerte par une barre franche avec son point de fixation, son rapport de transmission modulable, et un chemin de transmission réduit (parcours des drosses). En 1998, Windpilot a doté son modèle Pacific d'un dispositif de réglage en continu de la force de transmission, offrant ainsi la même gamme de réglage qu'une barre franche.

Tendeur de drosses simple et efficace à l'aide d'une poulie supplémentaire.

Le Windpilot Pacific (modèle 1998) dispose d'un réglage en continu de la force de transmission.

Petit conseil : en faisant cheminer les deux drosses de transmission du même côté du cockpit, on libère l'accès de l'autre côté. Avec ce type de configuration, il est facile de confondre entre elles les quatre drosses du cockpit (deux provenant du régulateur et deux servants à les relier à l'adaptateur de roue) ; il est par conséquent préférable de marquer clairement les paires qui s'accordent. Il est aussi souhaitable de doter chaque drosse d'un mousqueton permettant une attache rapide.

Le problème des drosses molles et élastiques est facile à résoudre en plaçant une poulie supplémentaire entre deux poulies existantes sur une des drosses. On règle alors la tension en modifiant la position de la poulie. Pour décrocher facilement les mousquetons de drosses, il suffit de donner du mou à celles-ci en relâchant la poulie de tension.

Les problèmes de qualité de transmission rencontrés avec une barre franche valent également pour la barre à roue. Les propriétés du système de barre (gouvernail dur, drosses trop molles ou transmission de pauvre qualité) contribuent à la réduction de la course maximale, l'action sur le safran ne disposant pas alors de la course maximale de 25 cm.

Régler l'adaptateur de roue

La plupart des adaptateurs de roue sont conçus selon le même principe de base. Toutefois, comme nous allons le voir maintenant, les modèles diffèrent considérablement dans leurs caractéristiques techniques :

1. Le tambour fixe. Aucun réglage possible (Sailomat, Cap Horn). Pour les réglages fins, on doit séparer les deux drosses de l'adaptateur et les rallonger ou les raccourcir. Ce n'est pas une manœuvre évidente à effectuer, par conséquent les réglages fins sont souvent ignorés et le pilotage perd de son efficacité. Pour avoir la possibilité de régler, il faut des drosses plus longues tendues par une ou plusieurs poulies supplémentaires.

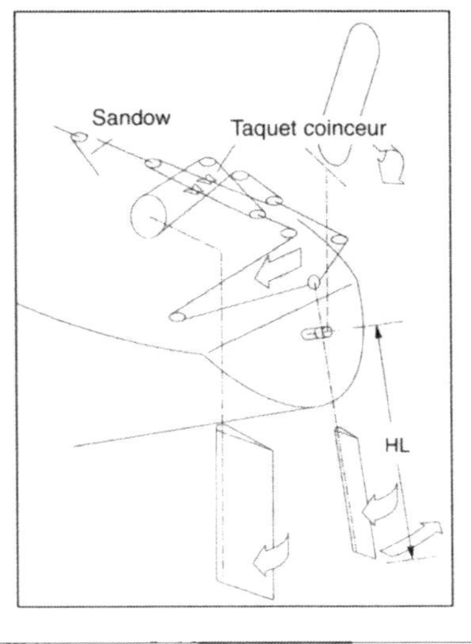

Transmission par drosses : dispositif de réglage de tension pour un adaptateur de barre à roue fixe.

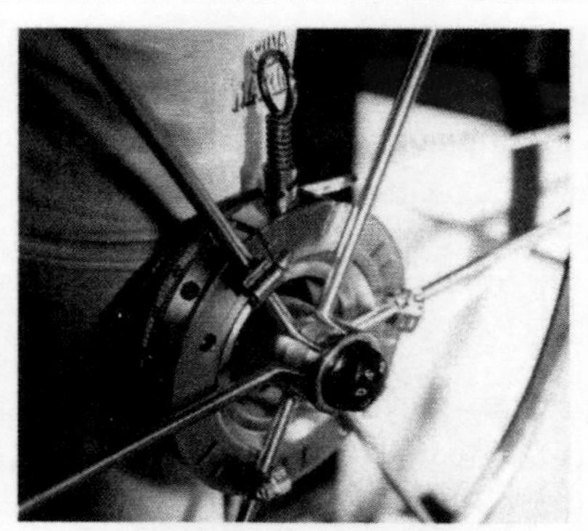

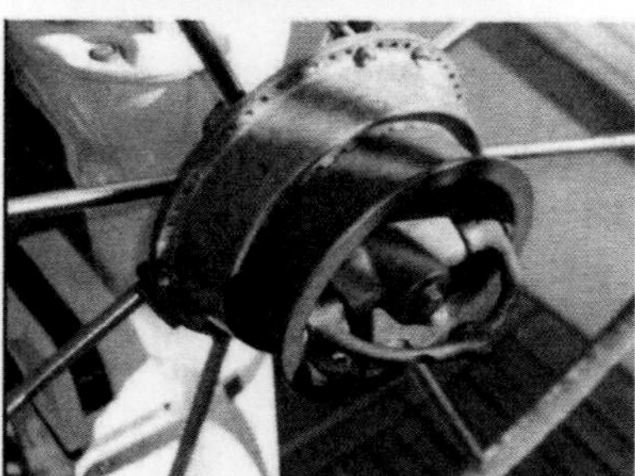

Trois adaptateurs pour barre à roue en place (de haut en bas) : Monitor, Aries et Windpilot.

2. Adaptateur à rail réglable (Monitor). Une goupille à ressort est engagée dans un trou sur un rail circulaire de façon à maintenir le tambour dans la position désirée. Pour les réglages fins, il suffit de retirer la goupille et de tourner le tambour jusqu'à ce que la goupille s'aligne avec un trou correspondant à la position désirée.

3. Adaptateur à engrenage (Aries). L'adaptateur est activé par un engrenage débrayable à fines dents. Il doit d'abord être désengagé pour permettre un réglage fin.

4. Adaptateur à réglages en continu du type frein à disque (Windpilot Pacific).. L'adaptateur se compose d'un disque que l'on peut tourner et maintenir en position avec un frein de blocage. Le frein qui maintient l'adaptateur ne doit pas être trop serré. L'adaptateur peut alors patiner sur le disque en cas de surcharge (lors d'une rafale par exemple) et éviter aux éléments de la transmission de subir des surcharges importantes et génératrices d'avaries. Ce type d'adaptateur est facile à régler, il suffit de relâcher légèrement le frein de blocage lorsqu'on repositionne la barre à roue.

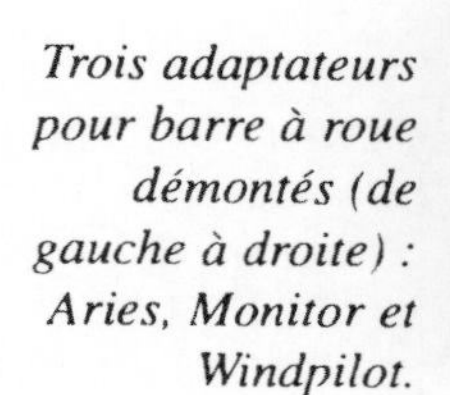

Trois adaptateurs pour barre à roue démontés (de gauche à droite) : Aries, Monitor et Windpilot.

Le diamètre d'un adaptateur de roue peut poser des problèmes s'il se heurte au diamètre d'un élément de pilote automatique de cockpit déjà en place.

Transmission vers une barre franche de secours. Il est presque toujours possible d'installer une barre franche de secours, sur les bateaux disposant d'une barre à roue (c'est même un équipement rendu obligatoire par la réglementation de nombreux pays) pour prendre la relève en cas d'avarie de barre. Il est illusoire d'espérer améliorer les performances de la transmission d'un régulateur d'allure en se contentant de relier les drosses à la barre franche de secours ! Cela ne marche pas car la barre active alors la totalité du mécanisme de pilotage en sens inverse. Cela ressemble à quelqu'un qui tenterait de faire tourner le volant d'une voiture en s'acharnant sur les roues avant !

On ne peut tirer avantage de la barre franche que si le système de pilotage par barre à roue est complètement déconnecté à partir du secteur de barre. Si cette option ne semble pas très pratique pour les balades de week-ends, elle convient parfaitement à la croisière hauturière. De toute façon, le régulateur d'allure pilote la plupart du temps, il n'est alors pas très gênant de perdre l'utilisation de la barre à roue en regard des avantages que l'on peut tirer d'une transmission directe vers le safran. En pratique, cette solution est applicable si les conditions suivantes sont réunies, la barre franche doit être :

1. suffisamment longue pour permettre un pilotage manuel confortable.
2. facilement accessible par le barreur : en aucun cas, par exemple, elle ne doit être hors du cockpit sur le pont arrière ;
3. solidaire de la mèche de safran et il ne doit pas y avoir de jeu entre ces deux éléments.

Une transmission de qualité vers une barre franche de secours peut être intégrée lors de la phase de conception d'un bateau (voir Construire un bateau neuf, p. 127).

Transmission vers une barre à roue hydraulique. On installe des gouvernails hydrauliques sur les bateaux dont le safran est soumis à des efforts trop importants pour un système mécanique, ou bien par commodité, lorsqu'on veut pouvoir disposer de plusieurs postes de pilotage. La transmission via un système à pompes et cylindres hydrauliques est toujours indirecte. Les caractéristiques des barres hydrauliques les rendent peu compatibles avec l'asservissement à un régulateur d'allure servo-pendulaire. En premier lieu, le nombre de tours de barre de butée à butée est nettement plus élevé que sur un système de barre à transmission mécanique, ce qui est inadapté à la course maximale du régulateur d'allure. Le deuxième facteur d'incompatibilité est constitué par les fuites et suintements qui accompagnent fréquemment les systèmes hydrauliques en raison parfois d'une médiocre qualité de certains joints mais plus souvent à cause d'un montage mal fait. L'utilisation d'un régulateur servo-pendulaire nécessite une relation constante entre la position de la barre et l'orientation du safran. A une position donnée de la barre doit toujours correspondre le même angle de rotation du safran, ce qui est rarement le cas avec une barre hydraulique.

Transmission vers une barre franche de secours. Cette alternative, bien que tentante, n'est possible que si tout le système hydraulique, y compris le vérin hydraulique, est déconnecté du secteur de barre. Si on ne prend pas cette précaution, la barre de secours essaie d'activer le système hydraulique dans le sens inverse (comme nous l'avons vu dans le système de barre mécanique).

Protection contre la surcharge

La principale source d'inertie, dans le système de barre, est toujours le vérin hydraulique ; il est par conséquent inutile d'installer un by-pass. En fait, plutôt que de barrer pendant toute une traversée, il est préférable de déconnecter purement et simplement le système hydraulique, pour permettre au régulateur servo-pendulaire de piloter dans de bonnes conditions.

Protection des éléments de transmission. Rappelons que les meilleures drosses sont constituées de cordage préétiré de 6 mm de diamètre au minimum, ou mieux du 8 mm. La charge de rupture de ce type de drosses va bien au-delà de la force de traction maximale qu'elles sont susceptibles de subir (300 kg), leur allongement reste donc très faible.

Si le safran perd soudainement le contrôle, ou si le bateau est soumis à une rafale, un régulateur servo-pendulaire exerce une force de traction maximale sur les drosses et sur le safran principal. Cette force est parfois suffisante pour tordre le balcon arrière ou les chandeliers sur lesquels les poulies sont fixées. Une mesure de sécurité simple et efficace consiste, sur chaque bord, à fixer une des poulies au rail avec un bout faisant office de fusible en cas de surcharge, épargnant ainsi l'ensemble du système.

Protection de la mèche pendulaire. On peut difficilement faire mieux qu'une pale pendulaire, qui traîne dans le sillage du bateau, pour attraper des filets de pêche, des algues et tout ce qui flotte, la protection en cas de surcharge, est par conséquent, une priorité. Voici quelques mesures de protection possibles :

1. Une amorce de rupture d'urgence est pratiquée à l'avance sous la forme d'une encoche située entre la mèche de la pale et la mèche pendulaire (Aries). L'évaluation des paramètres permettant d'établir la force de rupture est cependant difficile à réaliser : le bras de levier maximal exercé par la pale peut être assez élevé, il est donc difficile de définir le seuil de charge qui provoquera la rupture au niveau de l'encoche et celui où c'est le régulateur entier qui s'arrachera du tableau arrière. Pour bénéficier de tous les avantages de la présence de ce « fusible » il faut relier la pale pendulaire au support par un bout de sécurité, de sorte à la récupérer en cas de rupture de l'axe.

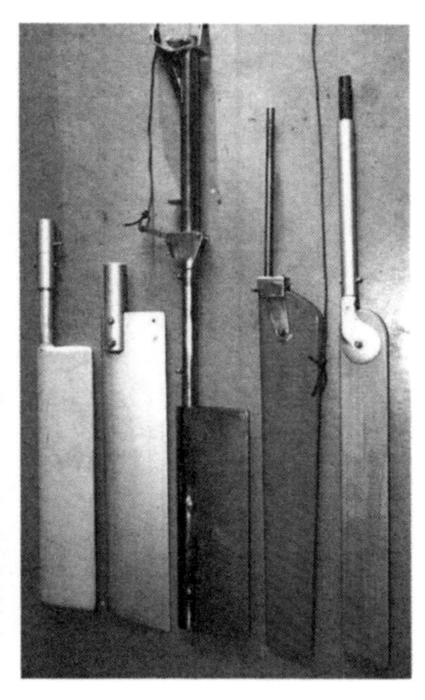

Protection contre les surcharges (de gauche à droite) : Aries, Sailomat, Monitor, Windpilot Pacific (ancien modèle), Windpilot Pacific (nouveau modèle).

2. La liaison entre la pale et le bras est protégée par un dispositif monté sur ressort qui se déclenche lorsque la pale heurte un quelconque objet flottant (Monitor). Ce concept protège efficacement, et la pale et les supports, des avaries consécutives à une collision.

3. La mèche se termine par une chape dans laquelle la pale peut pivoter vers l'arrière. La pale est maintenue dans l'alignement de la mèche par une butée avant et par un fort sandow qui cède lorsque la pale est en surcharge (Cap Horn ou Atoms).

4. Des boulons M8 en matière plastique (Delrin) empêchant la pale de se relever font office de fusibles (Sailomat 601). En pratique la force de rupture d'un boulon M8 est souvent trop élevée pour mettre complètement le support à l'abri des avaries.

5. La pale est maintenue, par frottement, dans une chape offrant une grande surface de contact avec la pale. Si le boulon qui maintient la pale n'est pas trop serré, elle peut pivoter vers le haut en cas de collision. Elle doit être positionnée avec précision pour assurer son bon équilibre. Des modifications, même infimes, de l'équilibre aboutissent à une augmentation ou à une diminution de la sensibilité du système.

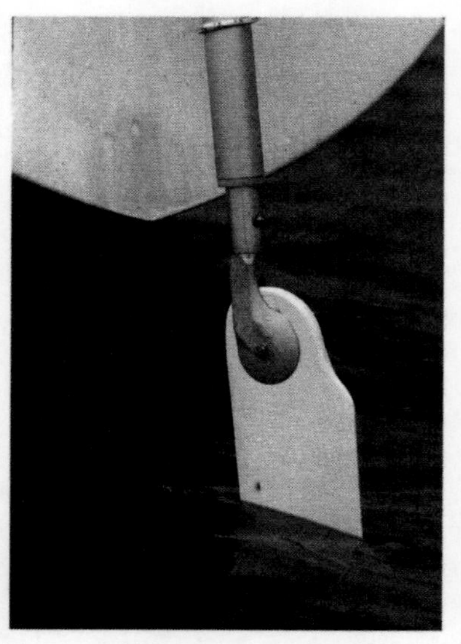

La pale du Windpilot Pacific a une très faible traînée.

Conseil pratique : la pale d'un régulateur servo-pendulaire ne doit être entièrement immergée que lorsque la vitesse atteint presque la vitesse critique de la carène - c'est-à-dire au point où la pleine puissance du régulateur s'avère nécessaire. Cela signifie que lorsque le bateau est stationnaire, le haut de la pale se situera à un certain niveau au-dessus de l'eau. Sur certains bateaux, et plus particulièrement ceux avec un arrière traditionnel, la vague de sillage peut atteindre une hauteur surprenante par rapport à l'eau environnante, le niveau exact dépend donc du type de bateau. Si le bras pendulaire est immergé, son passage dans l'eau développe une traînée et des turbulences qui ralentissent le bateau. Il est facile d'éviter cet inconvénient en remontant tout le système sur le tableau arrière, ce qui permet d'améliorer le fonctionnement de l'aérien.

La pale pendulaire

Une pale pendulaire doit réagir avec beaucoup de sensibilité au moindre signal de l'aérien. Une mèche bien équilibrée et une pale flottante améliorent la sensibilité du système et le meilleur résultat est obtenu en optimisant au maximum le rapport poids/puissance. Les forces appliquées à une pale pendulaire et à sa mèche sont en général modérées. Même lorsque le bateau pilonne violemment dans les vagues, le régulateur ne subit pas d'avarie dans sa zone protégée à l'arrière. Toutefois, la force générée par la pale sollicite l'axe qui permet le balancement du bras. Cela se traduit par une construction renforcée de cet axe pour les systèmes modernes (Sailomat 601, Windpilot Pacific). Pour les comparaisons techniques, voir tableau ci-dessus et au chapitre 9.

Comparaison technique

	Aries Standard	Monitor	Sailomat 601	Windpilot Pacific
Ø de la mèche pendulaire	25 mm	19 mm	40 mm	44 mm
Dimensions de la mèche de la pale	38 x 6,5 mm	41,3 x 1,25 mm	50 x 4 mm	40 x 5 mm
Section de la pale	170 x 50 mm	205 x 46 mm	170 x 25 mm	120 x 19 mm
Superficie de la pale	0,130 m^2	0,125 m^2	0,162 m^2	0,110 m^2
Position de l'axe d'équilibre	19,4 %	19,5 %	20,6 %	22,5 %
Matériaux de construction	Fibre de verre + mousse	Inox + mousse	Aluminium	Bois époxy
Pale flottante	Oui	Oui	Non	Oui

La pale pendulaire n'a pas besoin d'être parfaitement profilée car son angle d'incidence maximal reste faible. Chaque fois que l'aérien fait pivoter la pale et que l'angle d'incidence augmente, la pale bascule d'un côté et l'angle est immédiatement réduit à une valeur proche de zéro. L'angle d'incidence, fonction de la pression requise sur le safran (pour ramener le bateau sur son allure), n'excède jamais 3 à 5°. Un angle aussi faible exclut une séparation de l'écoulement. En cas d'urgence, une simple planche suffit si elle peut être fixée sur la mèche. Cette considération donne un avantage certain aux mèches terminées par une chape comme celle du Sailomat 601 et du Windpilot Pacific.

L'équilibre de forme de la pale influence directement la sensibilité de l'ensemble du système. Pour que le système fournisse une bonne performance de pilotage, par petit temps par exemple, un signal faible doit pouvoir provoquer la rotation de la pale. Une pale bien équilibrée est plus facile à faire pivoter qu'une pale non équilibrée.

La performance de pilotage est fonction de tous les facteurs qui contribuent au fonctionnement du régulateur. Affiner tour à tour chaque paramètre exige beaucoup d'expérience pratique et d'essais, il n'est donc pas surprenant que les principaux fabricants résolvent ces problèmes chacun à leur manière.

Le profil des pales et l'équilibre des proportions des systèmes servopendualires les plus courants sont indiqués dans le tableau ci-dessus.

Réglage de l'aérien par rapport au vent

Aérien V. Le réglage est le même qu'avec un régulateur à safran auxiliaire et aérien V. On peut complètement isoler l'aérien du système de façon à ce qu'il puisse pivoter librement par rapport au vent et indépendamment du système. Une fois réglé et enclenché, le réglage fin de l'aérien se fait par un engrenage à vis sans fin. L'aérien V est avancé ou reculé sur son support, en fonction de la force du vent, de la même manière qu'un système à safran auxiliaire.

Aérien H. Il y a quatre alternatives possibles :
1. Manuel. On déverrouille le système de blocage, on positionne le support de l'aérien, puis on verrouille à nouveau le système de blocage (Sailomat). Cette méthode exige qu'un équipier se mette debout tout à l'arrière, ce qui est parfois inconfortable voire dangereux de nuit. Il n'y a pas de repérage pour indiquer la position de l'aérien par rapport au vent.
2. Roue dentée et chaîne. L'aérien est positionné en utilisant un système de roue dentée et de chaîne, similaire au principe du vélo. Cette méthode permet un nombre de positions infini et éventuellement un réglage à distance (Monitor). Là encore, il n'y a pas de repérage.
3. Une roue dentée avec un pas de 6° et un loquet. L'aérien est réglé en tournant la roue dentée jusqu'à la position voulue avant d'engager le loquet (Aries). Chaque dent est séparée de 6°; ce pas fixe interdit un réglage fin pour le près. Le montage est lourd et délicat à utiliser.
4. Engrenage à vis sans fin. Le support de l'aérien est positionné grâce à une vis sans fin. (Windpilot Pacific). Ce système facile à utiliser permet le réglage à distance. Il peut comporter une échelle qui indique l'angle de l'aérien par rapport au vent, facilitant le réglage de l'allure.

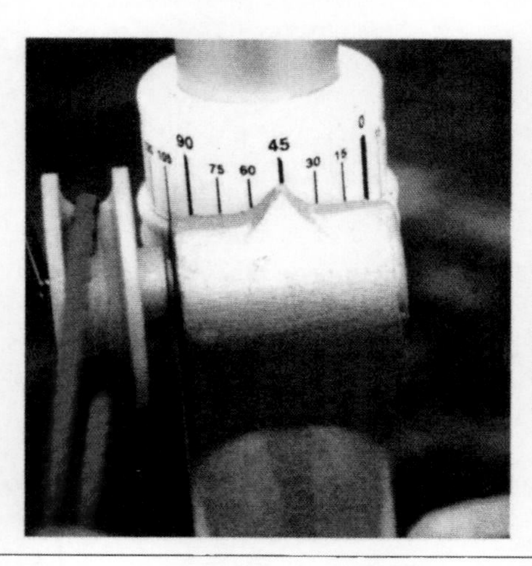

Le réglage à distance en continu, avec son échelle en degrés, est facile à lire sur le Windpilot Pacific.

L'aérien peut être réglé en fonction de la force du vent, comme nous l'avons vu pour l'aérien H. La commande à distance est pratique pour le confort et la sécurité qu'elle procure - régler l'allure en pleine nuit, suspendu au pataras, n'est le sport favori d'aucun équipier.

Facilité d'installation

Installer un système servo-pendulaire conventionnel est une entreprise délicate et minutieuse. La principale difficulté vient du fait que, les tableaux arrière étant tous différents, la plupart des bateaux nécessitent la pose d'un support spécialement conçu et fabriqué pour chacun d'entre eux - une sorte de casse-tête pour le skipper-bricoleur. Sur un arrière norvégien très pointu ou en présence d'un safran sur tableau, le support de montage classique d'un Aries traditionnel offre peu de possibilités. La seule solution réside dans la construction d'un support tubulaire spécifique toujours complexe et lourd, même si les charges auxquelles le support d'un régulateur servo-pendulaire est soumis restent étonnamment faibles (comme nous le verrons plus loin).

Les systèmes modernes disposent d'un support de montage variable qui s'ajuste aux différents types de tableaux arrières sans nécessiter l'utilisation d'un adaptateur spécial. Il faut rappeler pour la pose sur les bateaux de conception moderne (dont le tableau arrière est incliné vers l'avant), que la mèche pendulaire de la plupart des régulateurs servo-pendulaires doit rester aussi verticale que possible pour un bon fonctionnement du régulateur. Dans certains cas, cela revient à installer le système à une distance relativement importante du haut du tableau arrière pour éviter que la pale ne touche la coque.

Les éléments à rajouter pour éloigner le régulateur du tableau arrière augmentent évidemment le poids du système. Pratiquement tous les systèmes servo-pendulaires sont dotés d'une mèche verticale.

Les régulateurs servo-pendulaires conventionnels nécessitent souvent la fabrication d'un support spécifique.

Il est souvent nécessaire de rallonger le support de fixation des régulateurs d'allure servo-pendulaires à mèche verticale pour la pose sur un tableau arrière inversé (incliné vers l'avant).

En position relevée, grâce à l'inclinaison de la mèche pendulaire, la pale du Windpilot ne dépasse pas de l'arrière du bateau. (à gauche) Il suffit de retirer un boulon pour déposer le régulateur, et l'échelle de bain est prête à l'emploi. (à droite)

Les seules exceptions sont Windpilot Pacific et Sailomat, qui se caractérisent par une inclinaison de 10° et de 34° vers l'arrière. Ces systèmes présentent l'avantage de permettre sur les tableaux arrière inversés (de loin le concept le plus répandu), le montage du régulateur près du tableau arrière sans que la pale ne touche l'extrémité inférieure du tableau. C'est un avantage considérable pour les manœuvres de port ou pour l'amarrage par l'arrière « cul-à-quai », comme en Méditerranée, car aucun élément du régulateur ne dépasse de l'arrière du bateau lorsque la pale est relevée.

Position d'installation. Il va sans dire, ou presque, que le seul emplacement pour un régulateur servo-pendulaire est au centre du tableau arrière. Il est essentiel pour un pilotage optimal, que les supports soient montés symétriquement. Un montage excentré, pour éviter une échelle de bain par exemple, ne donne jamais de bons résultats. Tous les bateaux sont ardents à la barre, certains plus que d'autres, et le rôle du régulateur est presque toujours de faire abattre le bateau. Les propriétés inhérentes au régulateur obligent la pale à basculer au vent - c'est-à-dire du côté surélevé - pour abattre. Si le système est excentré, une grande partie de la pale pendulaire sort de l'eau sur un des bords, lorsque celui-ci est au vent, et elle risque même de sortir complètement lorsqu'une importante correction d'allure est nécessaire. Rallonger le bras pendulaire ne fait que déplacer le problème sur l'autre bord en créant une traînée supplémentaire lorsque toute la pale et une partie de la mèche sont immergées.

Erreur fréquente

Les systèmes servo-pendulaires opèrent à partir de la force servo-dynamique. En gros, le support d'un régulateur de ce type doit à la fois supporter la force transmise à la barre par les drosses et le poids du système lui-même. Les charges importantes, dues aux impacts des vagues par exemple, n'atteignent généralement pas le régulateur et le déferlement d'une vague provoque une embardée de tout le bateau plutôt que de simplement faire basculer la pale qui suit dans le sillage. Une houle de travers agit non seulement sur la pale mais aussi sur le safran, tout deux effectuent ainsi une petite rotation et absorbent un peu de l'énergie de la vague. Par conséquent, les drosses qui relient le régulateur au safran agissent comme un embrayage qui patine, permettant au système de pilotage d'amortir chaque déplacement.

Observez la manière dont le Pacific est fixé (quatre boulons) au cotre aurique à fort déplacement sur la photo (à droite). Malgré une apparence fragile, ce support compte déjà à son actif douze ans de service et de nombreux milles de traversées océaniques sans la moindre défaillance. Cela n'a rien d'étonnant car comme la mouette derrière le chalutier, la pale pendulaire suit le sillage du bateau sans subir d'effort lorsque les drosses sont enlevées, par conséquent les charges appliquées au support se limitent au seul poids du système. Connecter les drosses revient tout simplement à rajouter la force générée par la pale pendulaire pour déplacer le safran et effectuer la correction.

L'expérience est, bien sûr, le meilleur test. Supposons que l'action des vagues puisse produire des surcharges considérables à la pale et à son support. Il existerait alors, parmi les milliers d'Aries et de

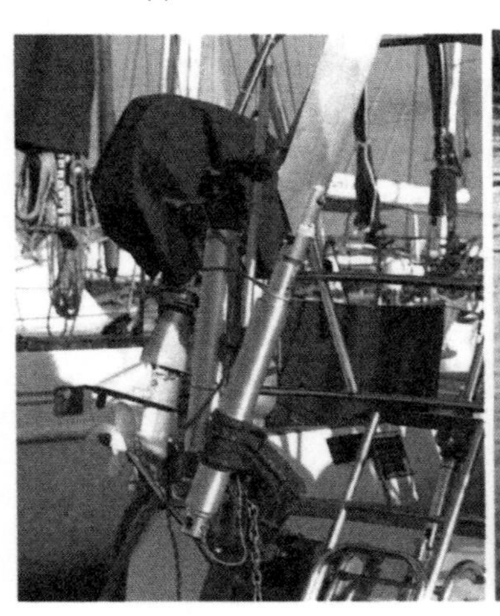

Le décalage latéral du régulateur servo-pendulaire nuit à son efficacité dès que le bateau gîte. (à gauche). Ce support pour le Windpilot Pacific équipe ce cotre aurique de 25 tonnes depuis 12 ans sans aucune avarie.

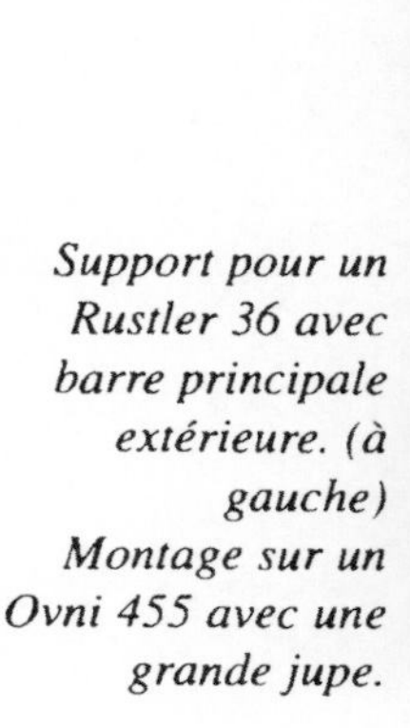

Support pour un Rustler 36 avec barre principale extérieure. (à gauche) Montage sur un Ovni 455 avec une grande jupe.

Monitor, quelques cas de mèches pendulaires tordues au point de venir toucher les tubes qui guident les drosses à hauteur du point d'amarrage. Or, ce type d'avarie n'a jamais été enregistré. Ces deux systèmes ont une liaison à engrenage conique qui réaligne la pale parallèlement à l'écoulement (le bras pendulaire est amorti). Cela reste vrai quelle que soit l'action des vagues ou même en cas de chavirage.

Les bateaux en bois, en acier, en aluminium et stratifié de fibre de verre massif, n'ont pas besoin de renforts supplémentaires à l'intérieur du tableau arrière. Par contre, pour les bateaux en sandwich, il est recommandé d'ajouter des contre-plaques en bois pour répartir l'effort à l'endroit où les efforts se concentrent. (NDT : De manière générale, évitez l'emploi de plaques en aluminium ou en acier inoxydable qui ont tendance à cisailler la fibre de verre sur leur périphérie lors du serrage, à l'inverse des plaques en bois ou en contreplaqué qui s'écrasent ponctuellement lors du serrage des boulons.)

La fixation des régulateurs d'allure servo-pendulaires conventionnels au tableau arrière par un grand nombre de boulons (jusqu'à 16), donne l'impression d'une meilleure répartition des charges (Aries, Monitor). En pratique, un nombre aussi important de points de fixation n'est pas nécessaire et la quantité de boulons a pour effet indésirable de nuire à l'esthétique générale du tableau arrière. Les forces en jeu ont probablement été surestimées par les concepteurs de l'époque.

Facilité d'utilisation

Démontage. La facilité avec laquelle on peut démonter un régulateur servo-pendulaire semble peu importante pour les voyages transocéaniques. Dans d'autres situations, au contraire, il est utile de pouvoir enlever le système avec un minimum de difficultés, par exemple lorsque le régulateur risque une avarie car il dépasse de l'arrière, ou pour éviter le vol durant l'hivernage. Sur les modèles Sailomat 600 et Windpilot Pacific, le démontage est simplifié à l'extrême puisqu'il suffit de déposer un seul boulon. La plupart des autres systèmes sont fixés par plusieurs boulons.

Fonctionnement. Un bon système servo-pendulaire ne doit présenter aucune difficulté de mise en marche, et, chose importante, il doit également permettre à l'utilisateur de relever la pale rapidement en cas de nécessité. La mise en marche doit être suffisamment simple pour être enclenchée par le barreur sans nécessiter l'intervention d'un équipier. Avec les inconvénients d'ordre esthétique des modèles conventionnels, les difficultés de mise en service sont probablement la raison principale pour laquelle de nombreux navigateurs, dans un premier temps, choisissent un pilote automatique.

On ne peut pas empêcher une pale pendulaire de se déplacer. En conséquence, à moins que la pale soit relevée avant de mettre en marche arrière (généralement au moteur), celle-ci interrompt la manœuvre dès que l'écoulement de l'eau est suffisant pour faire pivoter la pale.

Pale relevée, Monitor.

Les systèmes modernes permettent de relever la pale facilement aussi souvent que nécessaire, la seule condition étant que la vitesse du bateau soit suffisamment faible pour que la force due à l'écoulement n'immobilise pas la pale. Par contre les pales des systèmes conventionnels sont retenues par un loquet qu'il faut relâcher avant de relever ou de faire basculer la pale hors de l'eau.

Pale relevée, Atoms (à gauche) et Fleming (à droite).

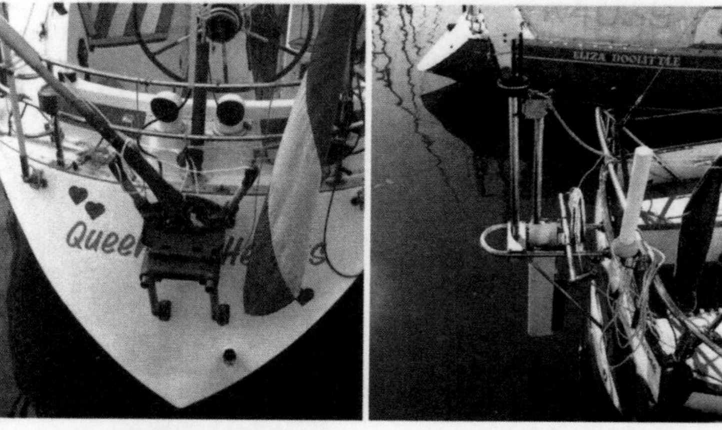

Pale relevée, Aries Lift-Up relevable (à gauche) et Navik (à droite).

Pale relevée, Sailomat 601 (à gauche) et Windpilot Pacific (à droite).

Encombrement d'un Monitor (à gauche) d'un Windpilot Pacific (à droite).

Dimensions et poids. Pendant de nombreuses années, l'encombrement et parfois le poids des modèles servo-pendulaires ont découragé de nombreux acheteurs potentiels. Ce handicap fait maintenant partie du passé. Si les premiers régulateurs servo-pendulaires pouvaient peser jusqu'à 35 kg, les systèmes modernes atteignent à peine 20 kg malgré une très nette amélioration de la solidité des principaux composants.

Avantages et inconvénients

L'aspect marquant de tous les systèmes servo-pendulaires est leur grande servo-puissance. Avec un bon système de transmission, ils peuvent barrer des bateaux de 18 mètres avec un déplacement de 30 tonnes. En conditions normales, un système servo-pendulaire est capable de piloter le bateau tant qu'il y a progression dans l'eau et que l'écoulement est suffisant pour déplacer la pale d'un côté ou de l'autre. Les systèmes servo-pendulaires engendrent une puissance plusieurs fois supérieure à celle produite par un système à safran auxiliaire.

Un des inconvénients de ce système est le soin qu'il faut apporter à l'installation des drosses. Si elles ne sont pas bien installées, l'efficacité est quelquefois réduite au point de paralyser le système tout entier. Etant donné que la course des drosses est limitée à 25 cm, plus le chemin parcouru par les drosses est long, plus les pertes sont élevées. Si le système utilise toute la longueur de mouvement des drosses en conditions normales d'utilisation, il perd alors inévitablement le contrôle du bateau dans des conditions plus difficiles. La transmission est toujours moins efficace sur une barre à roue ; le taux de perte dépend alors du type de régulateur.

La transmission de la force de pilotage sur une barre à roue située dans un cockpit central est délicate car la distance parcourue par les drosses est très longue. L'utilisation de câbles en inox est une solution possible mais qui pose d'autres problèmes (usure des poulies par exemple).

En aucune façon on ne peut exploiter le régulateur servo-pendulaire comme safran de secours : il est impossible de fixer la mèche en place et de toute façon la superficie de la pale est insuffisante pour barrer dans des conditions difficiles. Avec une surface de 0,1 m^2, une pale servo-pendulaire n'a aucune chance de gouverner un bateau dans des mers suffisamment fortes pour casser un safran principal. Les régulateurs servo-pendulaires ne sont généralement pas conçus pour supporter les efforts liés à une utilisation comme safran de secours, en conséquence toute utilisation de ce système, même recommandée par les fabricants, nécessite des renforts structurels importants pour la stabilisation de la mèche pendulaire.

Le Sailomat 601 est maintenu en place par des liens amarrés au balcon arrière. Le bras et la pale sont renforcés pour s'assurer que la pale ne casse pas lorsque les drosses sont installées, mais ces renforts signifient une augmentation de poids de la pale et de sa mèche.

La pale pendulaire du Monitor peut être remplacée par un safran de secours dont la superficie est plus importante, le bras nécessite alors six liens pour assurer la stabilité latérale.

Les fabricants de régulateurs d'allure sont :
Systèmes servo-pendulaires à aérien V : Hasler, Shwingpilot
Systèmes servo-pendulaires à aérien H :
1) Amortissement par engrenage conique : Aries, Fleming, Monitor, Windpilot Pacific
2) Autres formes d'amortissement : Cap Horn, Sailomat 601, Navik, Atoms.

Systèmes à deux pales immergées

Comment ça marche ?

Un régulateur à double pale est un système qui allie la puissance du régulateur servo-pendulaire à l'indépendance du safran auxiliaire (par rapport au safran principal), dans le but d'obtenir la meilleure performance de pilotage possible. Le safran principal reste fixe et s'utilise pour les réglages fins, laissant au régulateur à double pale le soin de s'occuper des corrections d'allure sans se soucier de l'ardeur du bateau.

Origine du Signal	= le vent
Origine de la puissance	= l'eau
Elément de pilotage	= safran auxiliaire
Bras de levier	= jusqu'à 200 cm

Application du système

Ce type de système convient particulièrement dans les cas où :
1. Le bateau est trop grand ou trop lourd pour un simple safran auxiliaire ;
2. La distance de transmission est trop élevée pour l'utilisation efficace d'un système servo-pendulaire seul (surtout pour bateaux à cockpit central) ;
3. Le voyage prévu est long et l'équipage réduit et où, par conséquent, on recherche la meilleure performance de pilotage ;
4. La présence d'un safran de secours est considérée comme importante, comme par exemple sur les bateaux dont le safran est suspendu sans aileron de protection ;

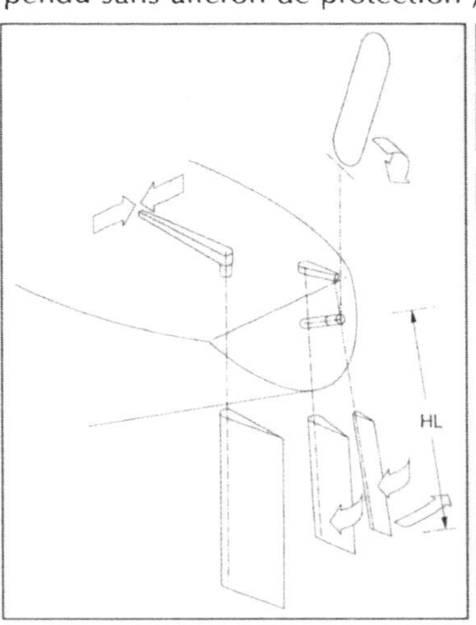

Régulateur d'allure à double pale et aérien H. Windpilot Pacific Plus sur un Hallberg Rassy 36.

5. Le bateau est équipé d'un gouvernail hydraulique. La double pale est la seule solution pour ce type de configuration (voir page 117, utilisation avec gouvernail hydraulique).

Seuls deux systèmes à double pale ont fait l'objet d'une production en série de par le monde :

Sailomat 3040. Cette unité a été conçue, à l'origine, pour des bateaux mesurant entre 30 et 40 pieds (d'où le nom 3040). Un aérien H transmet une impulsion de pilotage à une pale pendulaire qui est inclinée de 30° vers l'arrière. La mèche pendulaire est prolongée dans sa partie supérieure pour être reliée au safran auxiliaire, elle exerce une force orientée dans la direction opposée au déplacement de la pale pendulaire. L'inclinaison de l'axe fournit l'amortissement du lacet.

Sailomat 3040 sur un Hallberg Rassy 352.

Ce système à été produit entre 1976 et 1981, sa particularité réside dans un boîtier de liaison très compact, dont les parties supérieure et inférieure servent de support pour fixer le régulateur au tableau arrière. La petite taille du support fait que les efforts se concentrent sur une très faible surface. Les bateaux en fibre de verre exigent donc un renforcement considérable du tableau arrière pour supporter les forces importantes développées par le safran auxiliaire.

L'idéal est que les points de fixation d'un safran auxiliaire, donc du système à double pale, soient suffisamment distants les uns des autres pour bien répartir les efforts. Les zones supérieure et inférieure du tableau arrière sont plus rigides que le milieu, l'écartement important des points de fixation est donc également un moyen efficace pour éliminer, ou à tout le moins, réduire les vibrations.

Le principal inconvénient de ce type de système, mis à part son prix, est qu'il reste compliqué au quotidien. Retirer la pale pendulaire nécessite de démonter le dispositif de blocage et de la laisser glisser vers le bas - une opération délicate qui doit être effectuée avant chaque manœuvre de port. La nature même du concept limite la bascule du bras à 20° dans chaque sens. Au-delà de 20°, le haut du bras percute les butées dans l'engrenage. Cela peut poser un réel problème lorsque la mer est grosse : Naomi James utilisa bon nombre de pales de safran durant sa remarquable circumnavigation à bord de *Express Crusader*.

Windpilot Pacific Plus. Le Windpilot Pacific Plus existe depuis 1986. C'est probablement le seul régulateur à double pale au monde à avoir été produit en série durant cette période. Le concept est le reflet de la somme des progrès réalisés durant quatre décennies de développement du régulateur d'allure. Les caractéristiques de pilotage ont été optimisées et le système utilise un engrenage conique et une inclinaison du bras pendulaire à 20° vers l'arrière afin d'amortir le lacet. Un engrenage à vis sans fin permet une commande à distance. La pale pendulaire peut être relevée lorsque le système est au repos et le safran auxiliaire est un bon safran de secours. L'esthétique est moderne et la construction modulaire facilite le montage du système et le démontage des composants pendulaires. La position très reculée du safran auxiliaire offre un bras de levier optimal et par conséquent un pilotage particulièrement efficace. Cette caractéristique autorise une surface de safran auxiliaire relativement importante pour les différents modèles comme indiqué ci-dessous :

Pacific Plus I	= 0,27 m^2
Pacific Plus II	= 0,36 m^2

Le safran pendulaire se situe juste derrière le safran auxiliaire. Cela signifie que les deux éléments peuvent être directement reliés, éliminant ainsi les pertes de puissance dans la transmission ; pertes que l'on retrouve couramment avec les systèmes servo-pendulaires dans lesquels la force est transmise à la barre par des drosses (drosses lâches, élasticité/distension ou frottements dans les roulements). La liaison entre les deux pales était à l'origine assurée par une biellette à rotules assez innovante. Dès que la connexion était libérée, il était possible de basculer la pale pendulaire hors de l'eau. La pale pendulaire du Sailomat 3040, qui ne possédait pas cette caractéristique, se retirait en la laissant glisser vers le bas (pour l'extraire de son support) et en la récupérant sous le système.

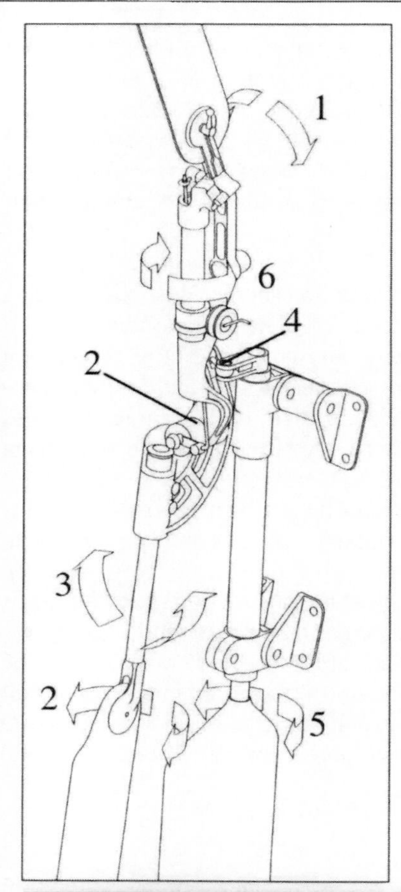

Windpilot Pacific Plus : L'aérien (1) est dévié par l'action du vent et produit le signal de pilotage. Il fait pivoter la pale pendulaire via la liaison mécanique (2). L'écoulement de l'eau oblige la pale à basculer (3) d'un côté ; une liaison (4) reliant la mèche pendulaire au safran auxiliaire (5) transmet le signal de pilotage. Le mât (6) de l'aérien peut pivoter sur 360°.

Avec le modèle de 1998, le Pacific Plus est maintenant équipé d'un segment d'engrenage conique pivotant. Cette liaison « Quick in, Quick out » peut être engagée ou désengagée d'une seule main, même lorsque le régulateur est en fonctionnement. Un dispositif spécial garantit que le safran auxiliaire reste centré lorsqu'il est hors d'utilisation et que la pale pendulaire est relevée. Le Pacific Plus permet également d'immobiliser l'aérien en position centrée ; cette caractéristique permet d'éviter que la pale ne se mette à balancer dès qu'elle est remise à l'eau. Une fois l'engrenage conique en place, l'aérien est libéré et le régulateur commence à fonctionner. L'équipement standard de ce modèle inclut également un point d'ancrage pour un pilote automatique de cockpit pour barre franche.

Le modèle de Windpilot Pacific Plus version 98 dispose d'un dispositif de verrouillage rapide « Quick in, Quick out » reliant le bras pendulaire au safran auxiliaire.

Utilisation avec gouvernail hydraulique

Les systèmes à double pale ne fonctionnent bien avec un gouvernail hydraulique que si l'écoulement du fluide dans le système hydraulique est totalement bloqué. Une fuite, si minime soit-elle, permet la déviation du safran principal sous l'action des vagues ou de la pression de l'eau, le rendant ainsi inutilisable pour les réglages fins de l'allure et la compensation de l'ardeur du bateau. Le fonctionnement des régulateurs à double pale s'appuie sur l'efficacité du plan anti-dérive que constitue chaque face du safran principal. Ces régulateurs ne peuvent barrer efficacement que si le safran principal reste stable dans la position préétablie.

Les systèmes hydrauliques subissent parfois des avaries qui se traduisent par des fuites en cours de voyage. La seule solution lorsqu'on est confronté à ce type de problème pendant une traversée, est dans l'utilisation de la barre franche de secours verrouillée en position à l'aide de bouts, au-dessus ou en dessous du pont, pour empêcher toute rotation du safran principal.

Domaines d'utilisation

Les systèmes à double pale sont principalement utilisés pour la navigation hauturière, c'est en effet dans ce domaine que leurs excellentes qualités de pilotage sont les plus appréciées. Ils conviennent également aux bateaux à cockpit central, et ont de plus en plus la faveur des grands chantiers comme Halberg Rassy, Oyster, Westerly, Moody, Najad, Malö, Camper et Nicholson, et Amel. Le safran auxiliaire est un peu handicapant pour les manœuvres de port, ce qui diminue leur intérêt en navigation de week-end ou de vacances.

Les capacités de pilotage d'un régulateur d'allure ne sont jamais trop élevées pour un équipage réduit qui effectue une longue traversée. Un régulateur inadapté pour quelque raison que ce soit (mauvais choix de système, problèmes de transmission avec un système servo-pendulaire), révèle toujours ses insuffisances dans les conditions de vent et de mer les plus difficiles, au moment où barrer manuellement est le plus déplaisant. Les systèmes à double pale représentent la technologie la plus aboutie en matière de puissance de pilotage et de performances. Ils cumulent les avantages du safran auxiliaire et du système servo-pendulaire (sans les problèmes de transmission) : la connexion entre le bras pendulaire et son safran auxiliaire est directe, et le safran auxiliaire, soulagé des corrections de base par le safran principal, effectue des corrections d'allure avec un bras de levier maximal grâce à sa position très reculée sur le bateau.

Voilier de croisière danois classique à cockpit central, Motiva 41, en croisière autour du monde.

Il existe une théorie, vieux serpent de mer qui refait surface de temps en temps, suggérant qu'un régulateur servo-pendulaire pilote mieux s'il passe par le safran principal, car sa surface est supérieure à celle du safran auxiliaire. Cette théorie est caractéristique d'un manque de compréhension des interactions que suppose le pilotage. Que ce soit sous voile ou au moteur, le safran principal est conçu pour gérer toutes les tâches de pilotage où interviennent les changements de cap importants comme les virements de bord, qui nécessitent un angle d'incidence élevé du safran, alors que cet angle reste faible en ce qui concerne les simples corrections d'allure. Dans tous les cas, la distance parcourue par les drosses et les inévitables pertes de puissance dans la transmission (ardeur, élasticité, mou, jeu, pertes entre barre à roue et secteur de barre, frottements dans les roulements du safran principal) restreignent l'angle de rotation imposé au safran principal par le bras pendulaire.

Les limites extrêmes du régulateur d'allure

Quand il n'y a pas de vent, il ne peut pas y avoir de signal. Cependant un aérien très sensible commence à fonctionner dès que le vent est suffisant pour gonfler les voiles et faire avancer le bateau aussi lentement que ce soit.

Un système servo-pendulaire nécessite une vitesse du bateau d'environ 2 nœuds pour que l'écoulement puisse générer la force nécessaire pour faire tourner le safran principal. Malheureusement tout cela présuppose une mer calme. Si les voiles battent en raison des mouvements imposés au bateau par une houle résiduelle, la perte de vitesse qui en découle rend totalement inopérant le régulateur d'allure.

Un vent plus fort engendre une impulsion de pilotage plus forte, il augmente la vitesse du bateau et parallèlement la force engendrée par la pale pendulaire. Si le bateau est parfaitement réglé, c'est-à-dire si la barre demande une force de pilotage faible, la pale pendulaire bascule peu et exerce une force modérée sur le safran. Il faudra attendre que le bateau ait besoin d'un safran qui exerce une force élevée, pour que les réserves de puissance du système entrent en jeu. Pour satisfaire la demande, la mèche pendulaire s'éloigne davantage de l'axe médian. De cette manière, le bras de levier augmente, générant plus de puissance de pilotage. Cela montre jusqu'à quel point un amortissement correct et efficace donne au système servo-pendulaire un avantage en termes d'éventail de conditions de fonctionnement et de réserve de puissance : une meilleure qualité de pilotage va généralement de pair avec l'augmentation de la force du vent et de la vitesse du bateau.

Cette tendance tient jusqu'à ce que l'arrivée des déferlantes rende le pilotage manuel obligatoire. Un régulateur d'allure est incapable de voir venir les déferlantes et il continue à barrer droit sur elles, une habitude potentiellement dangereuse à la fois pour le bateau et pour l'équipage. Le navigateur sud-africain aveugle, Geoffrey Hilton Barber, qui a traversé l'Océan Indien en 1997 de Durban à Freemantle en sept semaines, a pu cependant garder confiance dans son Windpilot Pacific même à sec de toile dans une tempête à 65 nœuds de vent.

Vitesse en nœuds en fonction de la force du vent

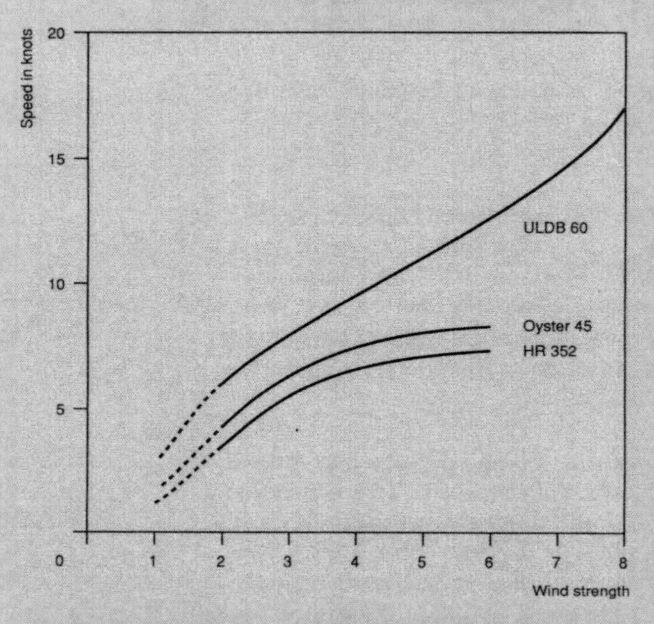

Ce graphique utilise la même formule que celui de la page 86, mais ici c'est la vitesse du bateau qui est représentée en ordonnée relativement à la vitesse du vent représentée en abscisse.
La rotation de la pale pendulaire est estimée dans ce cas, à 6°, valeur intentionnellement élevée afin d'illustrer les efforts de traction théoriquement possibles. Une rotation de 0 à 3° est plus réaliste car les forces à appliquer au safran d'un bateau bien réglé sont, théoriquement, nettement inférieures à cette valeur. En principe, moins le réglage est bon, plus la force à appliquer sur le safran est élevée ; par conséquent l'angle de rotation du bras pendulaire reste plus élevé tant que l'aérien ne signale pas le retour du bateau sur son allure et que le bras pendulaire n'est pas ramené au centre. Cela implique automatiquement un angle de lacet important. Plus le système réagit rapidement, moins le lacet se fera sentir.
Pour les bateaux dont la conception limite la vitesse maximale (en fonction de leur longueur de ligne de flottaison), la courbe tracée ci-dessus s'arrête à la vitesse de carène.
Pour les bateaux dont la vitesse maximale est plus élevée, voire théoriquement illimitée, (ULDB, catamarans), la courbe continue de manière appropriée. Un régulateur d'allure ne peut plus piloter au près si l'accélération due à une abattée accidentelle (safran ou houle) est suffisamment importante pour que l'angle du vent apparent se ferme. Le régulateur est alors perdu et incapable de réagir ; l'angle d'incidence du vent apparent au portant (allure rapide) est le même qu'au près (allure lente). En général, le bateau abat légèrement, puis accélère brusquement, et l'aérien ne détecte aucune différence ; par conséquent aucune correction n'est effectuée (voir Limites extrêmes du régulateur d'allure).
A savoir : Les régulateurs d'allure ne sont pas utilisables efficacement sur les bateaux à carène planante, étant donné que les principes décrits ci-dessus excluent un signal fiable de l'aérien. Dès que l'aérien devient imprécis, il y a danger certain d'empannage accidentel et il faut manquer sérieusement de sens commun pour prendre le risque de perdre son mât dans le simple but de réduire le temps passé à la barre.

Course au large

L'expérience a montré que le potentiel de vitesse des bateaux à déplacement ultra léger de toutes tailles (les ULDB) est beaucoup trop élevé pour qu'ils puissent être laissés à la seule capacité de pilotage des régulateurs d'allure. Chaque variation de la vitesse du vent provoque une variation de la vitesse du bateau, qui à son tour modifie l'incidence du vent apparent. L'accélération et la décélération du bateau dans chaque risée font que l'orientation du vent apparent bascule fréquemment vers l'avant ou vers l'arrière. En conséquence, un bateau piloté par un régulateur d'allure réglé pour un certain angle de vent, change de cap à chaque variation de la vitesse du vent pour conserver le même angle par rapport au vent apparent.

Le ULDB Budapest juste après son lancement en Slovénie ; juin 1996.

La plupart des monocoques, et quasiment tous les voiliers de croisière, sont limités en termes de vitesse par la longueur de la carène et n'accélèrent pas assez vite pour produire des variations significatives de l'angle du vent apparent. Les monocoques ULDB ne sont pas concernés par cette vitesse limite. La forme de l'étrave, de la carène, de la quille, le déplacement et la surface de voilure sont optimisés pour les surfs même par vent modéré. La conception même de ces bateaux favorise des accélérations phénoménales inévitablement accompagnées d'énormes variations de la direction du vent apparent.

Ce type de navigation est tout simplement au-delà des limites de capacité de n'importe quel régulateur d'allure. Sur ces bateaux un système entièrement asservi à l'angle du vent apparent suivra une trajectoire sauvage qui, un jour ou l'autre, aura inévitablement des conséquences sur le gréement - lors d'un empannage involontaire par exemple. La situation n'est pas forcément plus avantageuse au près. Même avec des voiles bordées, la moindre tendance à l'abattée (due à la houle ou au lacet), provoque une accélération rapide du bateau, ce qui ferme l'angle d'incidence de la direction du vent apparent. Un régulateur est incapable de reconnaître la différence qu'il y a entre faible vitesse proche du vent réel et grande vitesse loin du vent réel, puisque l'angle du vent apparent reste le même. On atteint là les limites des capacités du régulateur d'allure, car on ne peut pas lui apprendre à faire la distinction entre différentes situations qui génèrent les mêmes effets physiques. Les pilotes automatiques constituent la seule solution viable dans ce cas.

Au portant, et jusqu'à un certain point au près, les régulateurs d'allure sont inutilisables sur les voiliers dont les carènes sont conçues pour planer. Concernant l'utilisation de régulateurs d'allure dans le BOC, la revue nautique britannique *Cruising World* constate que « *les vitesses d'accélération et de décélération des bateaux actuels sont telles, que seul un petit nombre de bateaux traditionnels sont équipés d'un régulateur d'allure.* » (Septembre 1995)

6 • Choisir un système

Matériaux

La sélection des matériaux de construction, pour les régulateurs d'allure, est normalement fonction de leur méthode de production. La plupart des unités fabriquées artisanalement sont en acier inox. Ici, la fonctionnalité tend à l'emporter sur l'esthétique. Ces systèmes sont en partie responsables du manque d'enthousiasme de nombre de navigateurs à « défigurer » leur magnifique tableau arrière avec un régulateur d'allure.

La précision de fabrication est un facteur important à prendre en considération. Les systèmes fabriqués artisanalement se caractérisent presque toujours par une tolérance mécanique large en raison, par exemple, des variations de cotes et de linéarité des tubes lors des soudures. L'argument consistant à mettre en avant la facilité de réparation des modèles tubulaires en inox est indéfendable dans la pratique : peu de bateaux peuvent embarquer le lourd et encombrant outillage nécessaire à la réparation d'un régulateur endommagé à la suite d'une collision.

Les systèmes fabriqués industriellement sont généralement réalisés en aluminium. La fonderie dans un moule perdu en sable, le moulage mécanique (sous pression) et l'usinage assisté par ordinateur (CNC) permettent la réalisation de composants à dimensions constantes très précises. Cette méthode de fabrication permet également aux concepteurs de prendre largement en compte les considérations esthétiques.

Le terme aluminium n'est pas tout à fait approprié. En fait, la plupart des régulateurs d'allure en aluminium sont en alliage AlMg 3, préféré à l'alliage AlMg 5 malgré la meilleure résistance de ce dernier à l'eau de mer. Windpilot semble être le seul à utiliser l'alliage haute qualité AlMg 5 en série. L'alliage utilisé pour la construction des bateaux en aluminium est l'AlMg 4.5, matériau capable de résister à l'eau de mer même sans revêtement de protection. Les composants d'un régulateur reçoivent une protection de surface qui peut être soit la pose d'un revêtement (Sailomat) soit l'anodisation (Hydrovane, Windpilot Pacific, Aries).

Les paliers à roulements

Les roulements à billes, à aiguilles ou paliers à rotule sont parfaitement adaptés aux applications caractérisées par d'importantes contraintes mécaniques telles que les winches, les avale-tout sur rail d'écoute de génois ou les ferrures de gouvernail. Les charges encaissées par le mécanisme de transmission de l'impulsion de pilotage en sortie de l'aérien sont minimes, par conséquent sa conception peut rester relativement simple. Les roulements cités ci-dessus sont parfaitement adaptés au palier principal et à la mèche pendulaire, mais la pose d'un joint de palier afin d'éviter la pénétration d'eau salée et de cristaux altère la douceur de leur rotation. L'accumulation des cristaux de sel a tendance à gripper les roulements à billes non protégés et ils nécessitent un entretien minimum pour un fonctionnement parfait.

Quiconque a déjà été amené à démonter un régulateur d'allure, soit par curiosité, soit par ennui, aura sûrement été choqué par l'importance des salissures provenant de l'air ou de l'eau accumulées en un an. Les cristaux de sels sont faciles à éliminer par rinçage avec un peu d'eau douce, mais si votre bateau a passé pas mal de temps amarré dans une grande ville et exposé au vent, vous pouvez vous attendre à trouver dans les roulements des dépôts plus gênants provenant de la pollution urbaine. Le démontage d'un palier, comme pourra vous le confirmer toute personne ayant fait l'essai, réclame des mains fermes, et des nerfs d'acier. N'oubliez pas également de noter le nombre de billes déposées pour être sûr d'en remettre autant lors du réassemblage !

Les paliers autolubrifiants en PE, POM, Delrin ou Téflon PTFE, sont lubrifiés par absorption d'une certaine quantité d'humidité (air/eau). Ils sont légèrement plus volumineux que les paliers à roulement. Les propriétés autolubrifiantes sont peu sensibles à l'accumulation de cristaux de sels ou de saletés. A long terme, les paliers autolubrifiants sont plus fiables et plus résistants, enfin leur remplacement est plus facile et généralement moins onéreux.

Entretien

L'époque où il fallait huiler les Aries aux endroits indiqués par un repère à la peinture rouge est bien révolue ; d'ailleurs aucun navigateur n'accepterait cette contrainte aujourd'hui. Les régulateurs d'allure modernes sont solides, endurants et ne nécessitent que très peu d'entretien. Leur usure est minimale, et sous réserve d'éviter toute rencontre brutale avec un quai ou l'étrave d'un autre bateau, de nombreux systèmes peuvent servir pendant 30 ans, voire plus, sans avaries majeures. Les systèmes Windpilot reviennent de circumnavigation sans trace d'usure notable, même après deux ou trois chavirages dans les déferlantes.

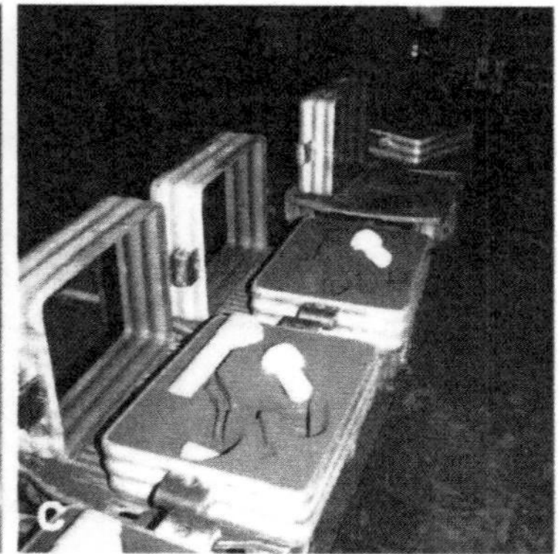

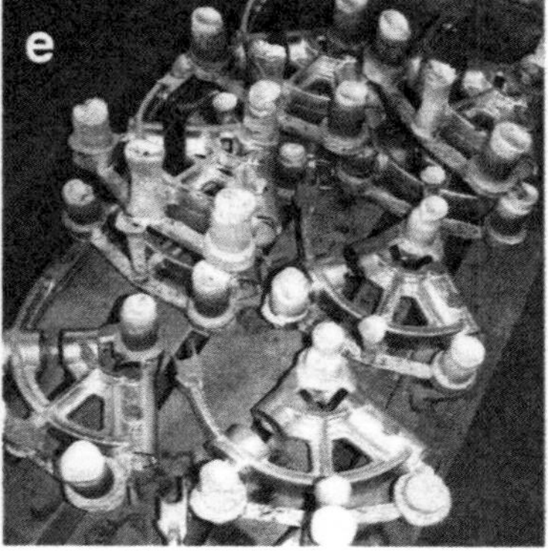

Cette série de photos montre la fabrication de pièces en aluminium selon le procédé du moulage en sable.
a) Modèle et inserts en bois d'un Pacific Light
b) Assemblage des modèles mâles sur une plaque de moulage
c) Moule femelle en sable avec inserts
d) on retire le moule en sable
e) pièces brutes de fonderie.

L'entretien minimal à effectuer revient à nettoyer les paliers, à vérifier le serrage et l'état de la visserie et des fixations et des transmissions, et enfin à rénover de temps en temps l'aérien et la pale immergée par l'application d'une couche de peinture.

Avertissement : huiler ou graisser des paliers autolubrifiants peut entraîner soit des problèmes de grippage, soit des problèmes de réaction chimique avec l'eau salée, ce qui a pour effet d'annuler les propriétés autolubrifiantes. Il y a encore des navigateurs qui refusent d'admettre que la graisse, la Vaseline et le silicone en aérosol n'ont rien à faire dans les paliers autolubrifiants, et qui sont surpris lorsque leur système commence à se gripper.

Conseil : les fixations sur le gréement et sur les espars, et d'une manière générale sur tous les types de connexion à vis, ne se grippent pas, et ce pendant des années si elles sont recouvertes de lanoline. La lanoline ou cire de laine est la substance qui permet à la toison du mouton de rester étanche sous la pluie. L'embarquement systématique d'un pot de lanoline est un moyen facile et peu coûteux d'éviter grippages et blocages divers, c'est de plus une excellente crème pour les mains ! L'autre manière d'éviter toute corrosion électrolytique entre deux matériaux différents est d'enduire la surface de contact avec un enduit ou une peinture époxy ou avec un mastic à base de chromate de zinc (Mastinox par exemple).

Construire son régulateur

Il y a 20 ans, le thème même de la construction amateur d'un régulateur aurait mérité un chapitre entier dans un tel livre. Mais il faut dire qu'il y a vingt ans, le bateau moyen en mal de régulateur était suffisamment petit pour qu'un projet de construction amateur soit une alternative intéressante. De nos jours, la longueur des voiliers de grande croisière atteint une moyenne de 12 mètres, et il n'est pas rare d'en voir de beaucoup plus grands. Le niveau de ressources de leurs propriétaires s'est élevé parallèlement, réduisant d'autant l'attrait du « fait-maison ».

La bibliographie fait mention de livres plus anciens sur ce sujet ; destinés à permettre de réaliser soi-même un régulateur d'allure avec un budget modéré, ils ne doivent pas masquer l'existence d'un marché très dynamique de régulateurs d'allure d'occasion pour petits voiliers. Afin de guider votre choix dans ce marché de l'occasion, les matériels qui ne sont plus produits sont mentionnés Chapitre 11, dans le récapitulatif des appareils existants.

Nous pouvons seulement vous conseiller, en insistant bien sur ce point, de vous assurer qu'avant un grand voyage sur un petit bateau, vous avez bien choisi un système efficace et reconnu, plutôt que de vous en remettre à un système « fait-maison » qui pose des problèmes lorsque le temps se gâte. N'oubliez jamais ce principe fondamental : si votre système tombe en panne, soit vous prenez la barre pour le reste du voyage, soit vous regagnez le port le plus proche.

Construire un bateau neuf

Quand on observe le nombre considérable de bateaux neufs construits en série ou à l'unité pour la croisière hauturière, on constate un grand nombre d'erreurs dans le traitement du problème du pilotage automatique. Lorsqu'ils achètent un voilier de série, beaucoup de plaisanciers font tout simplement confiance au revendeur. Puis le bateau arrive avec une foule de systèmes électriques et électroniques complexes et c'est seulement ensuite que le propriétaire se rend compte de l'importance (ou du manque d'intérêt) de chacun des éléments. Certains grands chantiers refusent tout simplement d'installer un régulateur d'allure ou d'offrir une échelle de bain excentrée en option sur leurs voiliers de croisière hauturière, car cela perturbe la chaîne de production. Peut-être pensent-ils qu'une personne engagée dans le processus d'achat d'un bateau aura trop de choses en tête pour penser à demander à ce que l'échelle de bain soit déplacée, alors que cela n'exige que peu de travaux supplémentaires. Sur les nombreux Hallberg Rassy actuellement équipés de Windpilot, moins de 5 ont été installés lors de la production !

Cependant, les navigateurs sont de plus en plus nombreux à considérer, lors de l'achat d'un bateau, que la combinaison du pilote automatique et du régulateur d'allure est la solution idéale au problème du pilotage automatique, c'est un sujet sur lequel nous reviendrons au Chapitre 7.

L'examen attentif des besoins en matière de pilotage automatique montre souvent que l'achat d'un petit pilote automatique pour commander le safran principal, en plus du régulateur d'allure, est une solution digne d'intérêt. La plupart des conditions de vent et de mer sont alors couvertes par l'un ou l'autre des deux systèmes et la dépense totale sera moins importante. Les chantiers installent généralement de puissants pilotes automatiques, dont les capacités s'avèrent trop importantes quand leur utilisation est complémentaire à celle d'un régulateur d'allure, car dans cette configuration, le pilote automatique est surtout utilisé par temps calme et au moteur.

Un facteur important à prendre en compte lors de la conception d'un bateau de voyage construit à l'unité est le fait qu'une fois en mer, le bateau sera quasi exclusivement confié au « barreur d'acier ». Les caractéristiques de fonctionnement de l'équipement envisagé - par exemple, un régulateur d'allure - sont à intégrer dès la conception : une barre franche est toujours préférable pour un système servo-pendulaire (voir Transmission vers une barre franche page 92). Même des voiliers imposants et lourds peuvent, si nécessaire, être conçus pour une barre franche. Certains navigateurs préfèrent encore une barre à roue, soit par goût personnel soit parce qu'ils ont prévu un cockpit central. Les inconvénients inhérents à la barre à roue, en ce qui concerne la transmission de la force de pilotage à partir d'un régulateur servo-

Régulateurs d'allure standards sur ces bateaux amarrés à Las Palmas, novembre 1995.

pendulaire, peuvent facilement être compensés en reliant les drosses de transmission à la barre de secours. Beaucoup de voiliers français équipés de barre à roue sont équipés d'un système à drosses qui manœuvre directement la barre franche plutôt que de passer à travers le pont jusqu'au secteur de barre. Il suffit de déconnecter les drosses de la barre franche pour enclencher le régulateur d'allure servo-pendulaire sans que celui-ci n'ait à entraîner tout le mécanisme de la barre à roue. Ce système présente en outre l'avantage d'éviter l'achat d'un coûteux système à double pale immergée.

Non seulement la barre franche est supérieure à la barre à roue en termes de fiabilité et de simplicité, mais en plus elle est un indicateur fiable des erreurs de réglage et d'équilibre des voiles (le besoin de prendre un ris par exemple). On peut voir qu'un bateau est trop ardent au fait que la barre franche s'oriente systématiquement au vent.

Il arrive que la conception même du bateau (double poste de pilotage par exemple) rende indispensable la pose d'une barre hydraulique. Les pales servo-pendulaires ne sont compatibles avec un gouvernail hydraulique que dans certaines conditions (voir Les systèmes hydrauliques à barre à roue page 99), le choix se porte donc généralement vers un safran auxiliaire ou un système à double pale. Dans le cas présent, il est indispensable d'équiper le bateau d'un système fiable de blocage du système hydraulique immobilisant parfaitement le safran principal. Si celui-ci dispose d'un secteur de rotation libre qui le soumet à la force des vagues, il compromet l'efficacité du régulateur d'allure. Et il est nécessaire, au final, d'immobiliser le safran à l'aide de la barre de secours, ce qui rend laborieux le fonctionnement du système de pilotage qui nécessite que la barre de secours soit libérée pour chaque réglage du safran principal.

L'idéal est un safran principal bien équilibré. Cela limite la force nécessaire au pilotage, en augmentant la sensibilité d'un régulateur d'allure ou en réduisant la consommation d'un pilote automatique.

Le plan de pont à l'arrière devrait tenir compte de la nécessité de réduire les turbulences au minimum pour garantir le bon fonctionnement de l'aérien au près. Les sièges, les radeaux de survie, les cagnards, les roufs de cabines élevés et proches de l'arrière, etc. réduisent la sensibilité de l'aérien. Les capotes d'entrée et autres structures plus avancées posent moins de problèmes puisqu'aucun bateau ne navigue à moins de 35° du vent et, à cet angle, l'aérien n'a devant lui que la pleine mer.

Les boulons de fixation du régulateur d'allure doivent rester accessibles de l'intérieur du bateau. Il faut veiller à ne pas les cacher lors de l'aménagement d'une cabine arrière, par exemple. Si vous installez un système sur un bateau totalement fini, et que le vaigrage de la cabine arrière est constitué de panneaux en bois, la meilleure solution est de percer les trous de passage des boulons de fixation, depuis l'extérieur, à travers la coque et le panneau de bois. Agrandissez ensuite les trous dans le panneau de bois pour permettre le passage des têtes de vis. Terminez l'installation en obturant les trous de vis avec des caches en bois ou des bouchons plastiques faciles à déposer pour permettre un accès rapide.

La forme du tableau arrière est également un facteur important dans le choix d'un bateau neuf. Les tableaux arrière modernes avec jupe et plate-forme de bain intégrée, sont parfaitement adaptés à la pose d'un régulateur d'allure à condition que l'extrémité inférieure de la jupe ne se prolonge pas trop vers l'arrière, ce qui complique les travaux d'installation. Les régulateurs à double pale peuvent même être installés en intégrant le safran auxiliaire à la plate-forme, en passant la mèche du safran à travers celle-ci, ou mieux encore, en passant la mèche par une ouverture pratiquée à l'arrière de la plate-forme. Dans tous les cas, la pale pendulaire doit rester derrière la plate-forme et pouvoir sortir facilement de l'eau.

La jupe d'un Bavaria 43 montrant un régulateur Windpilot Pacific Plus avec la pale pendulaire en position relevée.

Si vous souhaitez aménager la cabine arrière en cabine propriétaire, il faut prendre en considération le bruit produit par le secteur de barre et l'unité de puissance du pilote automatique qui sont en général situés directement sous la couchette. Ce bruit est parfois suffisant pour amener le propriétaire à quitter sa couchette. Au moment de décider de la configuration du pilote automatique, tenez compte du niveau de bruit de l'unité de puissance, les unités linéaires mécaniques étant beaucoup plus bruyantes que les unités linéaires hydrauliques.

Ce ketch, qui part pour une traversée de l'Atlantique (novembre 1998), est équipé d'un Windpilot Pacific Plus.

Trop de navigateurs attendent la dernière minute pour se décider à installer un régulateur d'allure. A ce stade, le départ étant imminent, le tableau arrière est déjà très encombré, et trouver la place nécessaire au régulateur a de quoi donner des insomnies à la fois au propriétaire et au constructeur. La faute n'est pourtant pas toujours celle du propriétaire. Certains bateaux possèdent des caractéristiques particulières qui nécessitent soit la réalisation de travaux supplémentaires pour la pose du support, soit la fabrication d'une structure (lourde) pour remplacer le support. Le pire des cas se présente quand le bateau est équipé d'une plate-forme arrière au niveau du pont dont le design rend pratiquement impossible l'installation d'un régulateur d'allure. L'unique solution est souvent d'installer un lourd support complémentaire sous la plate-forme, ce qui ne rencontre que difficilement l'adhésion du propriétaire. En conclusion, on n'insistera jamais assez sur l'importance de la prise en compte au stade de la conception du plan de pont arrière, pour éviter les difficiles rectifications a posteriori et les compromis nécessaires qui donnent une esthétique discutable à l'ensemble.

Types de bateau

Choisir un bateau peut avoir quelque chose d'angoissant. Pas mal de pièges et d'erreurs potentiels guettent celui qui est à la recherche d'un bateau. Ils n'apparaissent en général que plus tard, en mer ou dans des circonstances spécifiques (par mauvais temps par exemple). Le petit exposé qui suit, devrait permettre d'éviter certains de ces pièges.

Quille longue

Cette forme de construction classique a longtemps dominé l'architecture navale de plaisance. La quille longue (appelée également quille pleine ou quille traditionnelle) garantissait une bonne stabilité de route, une excellente tenue à la mer, et offrait une colonne vertébrale très solide au bateau. Le safran était articulé sur le bord de fuite de la quille. Des membrures en S, combinées à des membrures en V vers l'étrave, assuraient un bon passage dans l'eau et un bateau tranquille et confortable.

Les sauvetages courageux du marin norvégien Colin Archer sont légendaires dans le monde entier. Il amenait son cotre non motorisé à arrière norvégien dans l'Atlantique Nord pour secourir des pêcheurs en péril. Ses expériences ont donné naissance à de nombreux concepts synonymes d'une bonne tenue à la mer. La signature de Colin Archer est connue de tous les marins.

La carène de ce Sparkman & Stephens garantit une navigation confortable.

Bernard Moitessier aussi était fan de quille longue, et il en dota son *Joshua*. C'est avec ce bateau qu'il a participé à la course autour du monde sans escale, au cours de laquelle il prit la fameuse décision d'abandonner la victoire en se retirant de la course pour poursuivre sa navigation vers les mers du sud. Des répliques de *Joshua* sont encore construites de nos jours, quasiment identiques à la forme originale.

Mais ce sont les caractéristiques à la barre de ces bateaux à quille longue qui nous intéressent ici. Ils conservent très bien leur cap, mais s'ils le quittent, le fait que le safran ne soit pas équilibré augmente la force à transmettre à la barre pour ramener le bateau sur son cap. Ils nécessitent un régulateur assisté par l'effet servo-pendulaire ou des pilotes automatiques de bonne puissance. Manœuvrer ces bateaux au port demande des nerfs d'acier et une totale sérénité d'esprit du barreur.

Les qualités de ce Colin Archer sont incontestables en termes de tenue à la mer.

La supériorité, en matière de sécurité et de comportement marin, des bateaux à quille longue sur les bateaux dont le safran est monté sur aileron, donc séparé de la quille, donne souvent lieu à des débats houleux. La stabilité de route générée par la quille longue a pour corollaire négatif le ralentissement des manœuvres d'esquive où la rapidité est un facteur capital, par exemple pour éviter une déferlante. L'importance de la surface du plan anti-dérive de la quille longue est un paramètre important dans le gros temps. La diminution de la dérive s'accompagne d'une augmentation des risques de chavirage. Quoi qu'il en soit, la position protégée du gouvernail derrière la quille avec ses fixations solides de haut en bas du bord de fuite est insurpassable du point de vue de la sécurité.

Un Concordia de chez Abeking & Rasmussen à la marina de Rockport, Maine 1996.

Safran et quille

De nombreux bateaux sortis du bureau d'études de Sparkman & Stephens dans les années 60 et 70, sont aujourd'hui considérés comme des classiques. Tous les anciens Swan ont un safran fixé à un robuste aileron et une quille séparée. Les types de membrures sont similaires à ceux des bateaux à quille longue, en V pour permettre un passage confortable dans les vagues, des mouvements doux et une cabine arrière confortable. Ces bateaux sont également très marins mais aussi plus rapides car leur surface mouillée est plus faible. Ils sont en plus très manœuvrant au moteur même en marche arrière.

Une quille en aileron dispose d'un plan anti-dérive suffisant pour permettre au voilier de conserver une route en ligne droite. Ce type de carène est donc plus facile à barrer car il s'agit d'un bon compromis tenue de route/manœuvrabilité. La force à appliquer à la barre est moins importante qu'avec un bateau à quille longue car la portion du safran située sous l'aileron en avant de la mèche, apporte une compensation suffisante pour adoucir les mouvements et réduire l'effort de manœuvre de la barre. Le pilote automatique et le régulateur d'allure sont parfaitement adaptés à ce type de bateau.

Cette configuration est manifestement la préférée de la flotte de voiliers faisant route vers le soleil et qui, chaque année, se retrouve à l'escale obligée des Canaries. Tous les voiliers de croisière, de Halberg Rassy, Moody, Najad, Amel à Westerly entrent dans cette catégorie. Le tout premier échouage, la toute première collision avec un objet flottant ou la toute première tempête sont suffisants pour convaincre tous les navigateurs de l'importance d'un aileron solide pour protéger le safran.

Quille profonde et safran suspendu

Cette configuration, aujourd'hui largement répandue, permet d'atteindre de plus grandes vitesses et offre une manœuvrabilité supérieure au port. Les membrures sont trapézoïdales dans la région de l'étrave, elles s'élargissent et s'aplatissent en allant vers l'arrière ; un concept qui avantage la longueur de flottaison et facilite le surf, mais qui réduit le confort à bord. Ces bateaux ne marsouinent pas dans les vagues, ils les heurtent. Leur niveau de bruit est supérieur et leur confort est moindre. La différence de confort n'étant sensible que sur une longue traversée, la plupart des navigateurs n'en prennent pas conscience.

Compte tenu de la faible surface de contact entre la quille et la coque, et la position totalement exposée du safran sans aileron, l'utilisation de ces bateaux en grande croisière, sans embarquer un safran de secours, est un choix assez périlleux.

Les lignes de carènes d'un voilier moderne avec safran suspendu : rapide mais pas vraiment confortable.

La quille et le safran de ce Dehler 36 sont susceptibles d'être endommagés lors d'un échouage.

Les bateaux à quille profonde sont facilement pilotés par un régulateur d'allure car ils sont très sensibles au moindre déplacement de la barre. Les impulsions de l'aérien sont, par conséquent, rapidement converties en corrections d'allure. On peut faire le même constat pour les pilotes automatiques, bien que la tendance au lacet sur certains de ces bateaux pousse parfois à ses limites l'intelligence de l'électronique.

Les voiliers extrêmes conçus pour déjauger sont trop exigeants pour un régulateur d'allure (Voir *Les limites ultimes d'un régulateur d'allure* page 119) : seuls les moteurs et les pompes hydrauliques des pilotes automatiques les plus sophistiqués disposent de la puissance et de la vitesse nécessaires pour maintenir ces bateaux sur leur route.

Dérive ou lest intérieur

La stabilité des bateaux de ce type, sur lesquels le lest est moins profond, dépend en grande partie de leur largeur. Ils sont donc plus larges et plus sensibles aux réglages que les autres concepts. Une augmentation de l'angle de gîte s'accompagne toujours d'une barre plus ardente, rendant le travail plus pénible quel que soit le type de pilotage automatique choisi.

La coque est généralement pourvue d'une section trapézoïdale au niveau de l'étrave, ce qui diminue le confort à la mer. Nombre de bateaux, sur le marché français, sont équipés d'une petite dérive réglable, en plus du lest interne, ce qui facilite les réglages.

Les bateaux avec lest interne ont de bonnes performances au portant ; un deuxième plan de dérive facilite les réglages. Ce Via 43 français, Octopus, *a parcouru un tour du monde avec un Windpilot Pacific.*

Les multicoques

Les catamarans. Les catamarans ont une ligne de flottaison relativement longue et sont dépourvus de lest, leur stabilité de route est surprenante. La force à appliquer au safran étant relativement faible, ils sont faciles à barrer.

Ils accélèrent beaucoup plus vite que les monocoques dans les risées, causant de grandes variations de l'angle du vent apparent. Le problème est le même dans les déventes : ils ralentissent vite entraînant un basculement vers l'arrière du vent apparent. Le principe est le suivant : lorsqu'une rafale touche un monocoque, la gîte augmente, une petite accélération se produit et le vent bascule légèrement vers l'avant. Un multicoque ne gîte pas mais il accélère vite ; le vent apparent passe sur l'avant de façon manifeste.

Ce Privilège 465, qui s'apprête à partir autour du monde, est équipé d'un Windpilot Pacific.

Cela explique pourquoi les navigateurs à bord de catamarans utilisent quasi exclusivement des pilotes automatiques. Ce qui n'empêche pas qu'un régulateur d'allure puisse s'avérer très utile en grande croisière. Il est tout à fait possible de piloter un catamaran à l'aide d'un régulateur servo-pendulaire. Le grand potentiel de vitesse permet à la pale pendulaire de générer une force d'origine hydrodynamique élevée. L'aérien est un bon émetteur de signaux tant que la force et la direction du vent restent constantes. Par contre, dans un vent qui souffle en rafales ou lorsque la force du vent est variable, le régulateur n'est d'aucune utilité car son pilotage devient désordonné. Dans ces conditions, il est plus sage de déposer l'aérien et d'utiliser un petit pilote automatique de cockpit pour transmettre les impulsions de pilotage au régulateur.

Evidemment, un système servo-pendulaire ne fonctionne que si la transmission au safran principal se fait sans accroc. Quelles que soient les circonstances, les drosses ne doivent jamais arriver au système de barre à roue via l'adaptateur de barre, étant donné que sur un catamaran, la barre se situe généralement à une bonne distance de l'arrière du bateau. La transmission vers la barre de secours ne fonctionne que si le système de barre à roue peut être déconnecté. Bien entendu, cela suppose que le barreur puisse facilement accéder à la barre de secours (et l'utiliser pour barrer) en cas de besoin. Une meilleure approche consiste dans la séparation des deux safrans. Le safran N° 1 reste connecté à la barre à roue de façon à pouvoir prendre la barre en cas de besoin et pour faire les réglages d'allure lorsqu'on est sous pilotage automatique ; le safran N° 2 est relié au régulateur servo-pendulaire via la barre de secours et les drosses. Cette méthode s'applique également à des systèmes hydrauliques de pilotage.

Les systèmes à safrans auxiliaires ou double pale ne conviennent pas aux catamarans. La hauteur de la poutre arrière complique l'installation d'un régulateur qui a besoin d'être près de la surface. Même s'il était possible de le monter sur la poutre, le safran auxiliaire serait complètement exposé aux objets flottants.

Les trimarans. L'unique safran du trimaran est plus facile à contrôler que les deux safrans du catamaran. Tant que le bateau dispose d'une barre franche ou d'une roue à transmission mécanique, on peut installer un système servo-pendulaire. Les systèmes à safrans auxiliaires sont moins satisfaisants car les trimarans ont souvent un gouvernail extérieur (fixé au tableau arrière) et donc une bonne installation du safran auxiliaire est très difficile à réaliser. De plus, ce type de régulateurs n'a pas la puissance nécessaire pour répondre à la vitesse d'un trimaran. Les systèmes à double pale ne conviennent absolument pas car les deux pales évoluent dans le sillage direct du gouvernail extérieur et le safran auxiliaire est alors trop près du safran principal.

Gréements traditionnels

Les bateaux traditionnels à quille longue étaient souvent gréés en Yawl ou en Ketch afin d'équilibrer le plan de voilure. Dans le gros temps, la voile d'avant ne suffisait pas à compenser la tendance du voilier à lofer : l'augmentation de la vitesse et de la gîte faisait avancer le point d'application de la force anti-dérive de façon spectaculaire, générant une barre très molle qui devait être compensée avec la voile d'artimon.

Les voiliers gréés en Yawl sont toujours très esthétiques ; ce magnifique voilier traditionnel était amarré à Newport, Rhode Island en 1996.

Aujourd'hui, le gros de la flotte de croisière hauturière est conçu selon la configuration aileron de gouvernail, quille et safran séparés où le safran et l'aileron sont positionnés bien en arrière. Le point d'application de la force anti-dérive ne se déplace pas autant lorsque la vitesse ou la gîte augmentent ; ils maintiennent bien leur allure et n'ont pas besoin d'une voile d'artimon.

Un tapecul dont la bordure s'étend au-delà du tableau arrière est un obstacle au fonctionnement d'un aérien.

Une voile d'étai sur l'artimon a beau être efficace et facile à manier, les deuxièmes mâts reviennent cher et augmentent le poids dans les hauts. De plus, ils sont rarement exploités car durant une navigation dans les alizés, ils contribuent davantage à rendre le bateau ardent qu'à augmenter sa vitesse. L'artimon et sa bôme gênent souvent le fonctionnement du régulateur d'allure, en perturbant l'écoulement de l'air juste en avant de l'aérien et en gênant la rotation de ce dernier. La plupart des arguments en faveur du mât d'artimon reposent sur des facteurs qui relèvent davantage du domaine de l'esthétique que de celui de la performance sous voile : un mât d'artimon est un bon support d'antennes radio et de radôme, et deux mâts font plus joli sur les photos !

Un gréement en cotre est probablement le meilleur compromis entre bon pilotage et simplification des manœuvres. Il peut être réglé pour équilibrer quasiment tous les bateaux. De plus la répartition de la voilure sur plusieurs voiles relativement petites simplifie les manœuvres en équipage réduit. Les gréements en cotre présentent également un énorme avantage en matière de sécurité : le haubanage supplémentaire (le pataras et le bas étai) réduit considérablement le risque de démâtage ; ce qui est vraiment très rassurant dans les conditions extrêmes.

Cohabitation idéale entre plateforme et régulateur d'allure sur un Méta 13M.

Echelles de bain, plates-formes arrière et bossoirs

Il faut admettre que la présence d'une échelle de bain au centre du tableau arrière ne facilite pas l'installation d'un régulateur d'allure. Et, contrairement à ce que pensent beaucoup de gens, une échelle de bain n'est pas aussi utile que cela en croisière. L'idée qu'une échelle de bain est essentielle pour remonter un équipier à bord semble bonne en théorie, mais lorsque quelqu'un passe par-dessus bord, c'est qu'en général la mer est mauvaise ; le bateau est chahuté par les vagues et se retrouver sous le tableau arrière devient alors très dangereux. Dans de telles circonstances, le mieux est de récupérer l'équipier par l'un des côtés. Placer des échelles de bain pliantes dans des conteneurs en plastique au milieu de chaque bord peut être une solution plus efficace.

Cohabitation idéale entre plate-forme et régulateur d'allure sur ce Roberts 53.

Une plate-forme arrière est un moyen idéal d'embarquer et de débarquer ; au mouillage, elle facilite nettement l'accostage de l'annexe. La hauteur idéale est de 50 cm au-dessus de l'eau. Souvent standard à bord des voiliers français, c'est généralement lors d'un long voyage qu'elle révèle toute son utilité. Après un certain nombre d'allers et retours pénibles, alors qu'il se hisse sur l'échelle de bain chargé de provisions ou de bidons d'essence, un navigateur peut facilement en venir à convoiter la plate-forme du bateau voisin ! Elle permet également de prendre une douche d'eau douce après une baignade sans embarquer de sel. En étant attentif au moment de la conception, il est tout à fait possible d'installer à la fois un régulateur d'allure et une plate-forme arrière.

Les bossoirs ne sont pas forcément incompatibles avec la présence d'un régulateur. Une annexe gonflable passe l'essentiel d'une grande traversée pliée et amarrée sur le pont ou mieux, rangée à l'intérieur. Il serait irresponsable de laisser son annexe sur les bossoirs, exposée aux grosses vagues et au mauvais temps lors d'une longue navigation ; de plus, une fois l'annexe pliée, le régulateur d'allure dispose de toute la place dont il a besoin. Les régulateurs d'allure modernes se démontent très facilement, on peut donc aisément passer de l'annexe au régulateur et inversement, en fonction des besoins. La pale pendulaire est la seule partie du Windpilot Pacific Plus capable de gêner l'annexe, mais celle-ci s'enlève tout simplement en retirant un boulon. Par contre le safran auxiliaire, lui, ne gênera jamais l'annexe.

Des bossoirs et un Pacific Plus sont parfaitement compatibles sur ce HR 41 vu à Papeete. (à gauche)
Ovni 43 français amarré à Las Palmas prêt pour une grande traversée. (à droite)

En suivant les conseils donnés ci-dessus, il est possible de combiner plate-forme, échelle de bain en position excentrée, bossoirs et régulateur d'allure, et d'apprécier les avantages de chacun. Tous jouent un rôle pratique lors d'une croisière et il serait dommage de devoir s'en passer. Avec un peu de prévoyance, le Pacific Plus peut même s'intégrer, en partie, à la plate-forme de bain, ce qui permet au safran auxiliaire d'être protégé lors de la marche arrière. Même la partie pendulaire peut être protégée en position relevée : il suffit que la pale soit inclinée de 10° sur l'arrière, lorsqu'elle est dans l'eau, pour que dans sa position relevée, elle soit inclinée du même angle sur l'avant ; si la plate-forme s'étend au-delà de l'axe de balancement, toute la partie pendulaire se trouve alors devant la plate-forme, donc protégée.

Il faut également penser à la position des diverses antennes. Un portique à bossoirs intégrés, comme celui du chantier français Garcia, est une solution idéale qui facilite la pose des antennes GPS, Inmarsat, radar, et VHF, des panneaux solaires et de l'éolienne à deux mètres au-dessus du pont. Cette position les maintient à distance de l'équipage et assure une bonne réception, le chemin de transmission reste court et, plus important encore, les antennes sont à l'abri d'une maladresse de l'équipage. Les antennes GPS montées sur le balcon arrière sont continuellement prises pour des poignées, ou pire, se retrouvent sous un équipier qui cherche à s'asseoir.

On peut toujours imaginer une solution pratique et esthétique, dès l'instant où les besoins propres aux différents équipements sont biens évalués au départ. Chaque fois qu'on modifie ou qu'on ajoute un équipement (ex : bossoirs, mât d'éolienne, etc.), on augmente le poids et on crée un encombrement qui n'est pas sans conséquence sur l'esthétique générale du bateau.

Installer un régulateur d'allure

Installer un régulateur d'allure sur un bateau en bois, en aluminium ou en acier ne pose aucun problème car tous ces matériaux supportent bien les efforts ponctuels. Il n'est pas nécessaire de renforcer l'intérieur du tableau arrière.

En revanche, le tableau arrière d'une coque en composite n'est généralement pas doté de raidisseurs structurels. Il doit donc être renforcé en tenant compte de l'architecture du bateau et des caractéristiques du régulateur d'allure à installer (poids, forme, répartition des efforts par le support). Avant d'installer un régulateur d'allure, l'intérieur d'une coque en fibre de verre, dont le tableau arrière est en stratifié/sandwich, doit obligatoirement être renforcé autour des points de fixation par des contre-plaques en bois ou en matériaux similaires. Important : veillez à étanchéifier soigneusement avec un élastomère silicone ou polyuréthane (Sikaflex) tous les trous percés à travers la coque. Opérez de l'extérieur vers l'intérieur. Si vous appliquez le mastic d'étanchéité depuis l'intérieur, il est impossible de contrôler les fuites provenant de l'extérieur, et toute entrée d'eau risque de se traduire par une pénétration d'eau dans le stratifié.

On doit toujours boulonner un régulateur d'allure à travers le tableau arrière même sur un bateau en acier ou en aluminium. L'autre possibilité consistant à souder des fixations à l'extérieur du tableau arrière pour éviter que les boulons ne traversent la coque empêche effectivement la pénétration d'eau. Par contre, cette solution rend les réparations très difficiles en cas de collision. Elle est également un facteur important de corrosion sur les coques en acier. Acier ou aluminium, chacun de ces matériaux est suffisamment solide pour supporter l'installation d'un régulateur d'allure sans nécessiter la pose de renforts particuliers.

La taille du bateau

Les bateaux de 18 mètres représentent à ce jour la taille maximale pour un pilotage fiable par régulateur d'allure. Les bateaux plus grands dépendent quasi exclusivement de systèmes électroniques ; l'équipement déjà lourd et la présence de générateurs auxiliaires justifient le choix des pilotes automatiques les plus puissants. La limite inférieure correspondante se situe autour des 5 mètres, une taille qui elle aussi connaît les grands voyages. Les 20 kg d'un régulateur, qui remplit toutes les fonctions nécessaires, sont excessifs pour un bateau de taille inférieure.

Un Windpilot Pacific Light sur un Crabber 24.

Résumé

Tout régulateur d'allure a des limites bien précises qui lui sont imposées par son niveau de technologie. Les systèmes seront capables de gérer des conditions plus ou moins difficiles en fonction de leur bras de levier, de leur amortissement et des caractéristiques du bateau ; mais tôt ou tard, ils perdent le contrôle. Des prises de ris anticipées permettent de repousser ces limites, en réduisant l'amplitude des corrections. Un système conçu avec un bon rapport force de pilotage/amortissement et une bonne réserve de puissance donne toujours de meilleurs résultats qu'un système qui a constamment besoin d'ajustements manuels pour gérer les changements de conditions, qu'il s'agisse du vent ou de la mer. Bien que la force de pilotage nécessaire pour garder un bateau sur son allure ne soit jamais très élevée, tous les navigateurs sont conscients de la vitesse à laquelle les conditions changent dans le gros temps ou dans les alizés.

Le régulateur d'allure parfait allie sensibilité pour barrer dans le petit air et puissance pour faire face au gros temps. Les safrans auxiliaires avec peu ou pas d'assistance servo sont rapidement débordés. L'énorme réserve de puissance d'un système servo-pendulaire ou à double pale offre un pilotage efficace sur une plus grande gamme de conditions. Il ne faut pas oublier qu'un mauvais choix de système oblige rapidement à revenir au pilotage manuel.

Le pilotage étant assuré par le régulateur d'allure, l'équipage a tout le temps de se concentrer sur le réglage des voiles sur ce Judel Frolic néerlandais de 47 pieds.

Du point de vue de l'équipage, le meilleur système serait celui qui fonctionnerait comme un système fermé, offrant une grande qualité de pilotage pour peu de réglages manuels. Plus large est la plage de réglage, plus les réglages sont nécessaires, et plus il y a de risques d'erreurs (humaines ou mécaniques). L'idéal est un système qui permette à l'équipage de se concentrer exclusivement sur le réglage des voiles et du bateau, laissant le pilotage aux soins du régulateur d'allure !

7 • Les systèmes combinés

La combinaison pilote automatique - régulateur d'allure

Aujourd'hui, les pilotes électriques sont choses courantes à bord des voiliers. Ils sont une bonne option pour la voile pendant les week-ends ou les vacances, mais c'est avec la durée du voyage que les arguments en faveur du régulateur d'allure commencent à se faire sentir, surtout lorsqu'on navigue en équipage réduit, jusqu'à devenir quasiment irrésistible pour les traversées océaniques. En fin de compte, il ne fait plus aucun doute que le choix le plus judicieux en matière de pilotage automatique pour la croisière hauturière est d'avoir, à la fois, un pilote automatique et un régulateur d'allure.

La combinaison pilote automatique et régulateur d'allure avec télécommande est idéale pour la croisière en équipage réduit.

Il existe une méthode particulièrement ingénieuse permettant de combiner les avantages des deux systèmes, et qui, bien qu'ayant été publiée en détail dans de nombreuses revues nautiques, est encore relativement peu connue de la plupart des navigateurs. Pour émettre le signal de pilotage, on peut remplacer l'aérien d'un régulateur d'allure servo-pendulaire par un petit pilote automatique de cockpit (ex : Raytheon 800 ou Simrad TP10) relié au contrepoids du régulateur. Les processus d'amplification et de transmission restent inchangés. Le pilote automatique peut alors barrer le bateau selon un cap compas et avec une consommation électrique extrêmement faible, puisque la poussée à exercer correspond à celle normalement fournie par l'aérien (c'est-à-dire celle qui permet

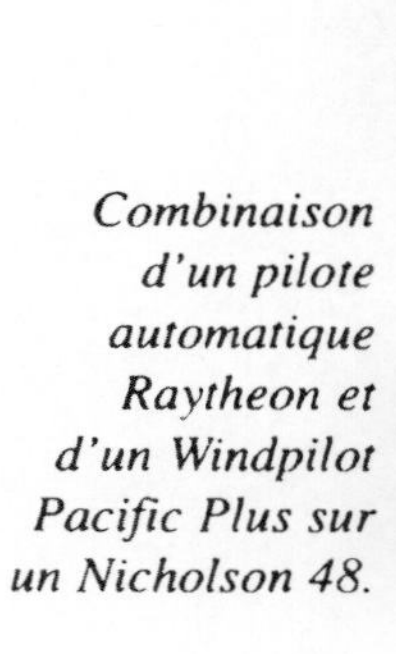
Combinaison d'un pilote automatique Raytheon et d'un Windpilot Pacific Plus sur un Nicholson 48.

à la pale pendulaire de pivoter). En multipliant, la force de pilotage d'un petit Raytheon 800 par la force servo d'une pale pendulaire on procure suffisamment de force au safran principal pour barrer un bateau de 25 tonnes. Cette combinaison est particulièrement utile par longue houle d'alizé accompagnée d'un vent arrière faible, lorsque la force du vent n'est pas suffisante pour émettre un bon signal mais qu'il y a suffisamment de vitesse pour le système servo-pendulaire.

Le couplage pilote automatique/régulateur d'allure permet de dépasser les limites physiques entrée/sortie et courant électrique/force de pilotage évoquées au Chapitre 3. Un pilote automatique peut être couplé, de la manière décrite ci-dessus, avec quasiment tous les types de régulateurs d'allure :

Régulateur à safran auxiliaire

Le pilote automatique est relié à la petite barre franche de secours, mais il n'y a pas d'effet servo car avec ce système, l'aérien et donc ici, le pilote automatique, imposent directement une rotation au safran auxiliaire. Cette technique ne s'utilise que si l'on ne peut pas relier le pilote automatique à vérin à la barre du safran principal (ex : s'il s'agit d'une barre à roue). Au moteur, un pilote automatique relié à la barre franche de secours subit des vibrations, car le gouvernail auxiliaire est dans le sillage turbulent de l'hélice.

Système servo-pendulaire

Cette combinaison est celle qui donne de meilleurs résultats, et elle est la plus facile à réaliser avec ce type de régulateur. La tête d'homme qui permet d'emboîter le vérin se fixe n'importe où sur l'aérien ou sur le contrepoids. Il suffit qu'au point de fixation choisi, le secteur de rotation de l'aérien ou du contrepoids soit supérieur à la course butée à butée du vérin (Raytheon, Simrad : 25 cm). Sinon, on risque de détériorer l'aérien lorsque le pilote automatique amène la barre en butée sur un bord ou l'autre.

L'avantage de combiner ces deux systèmes est encore plus net dans ce cas. Le safran principal du bateau, un bateau généralement important s'il possède un régulateur de ce type, est utilisé pour les réglages fins du bateau, de cette façon on réduit au maximum les efforts subis par le régulateur, permettant ainsi un fonctionnement plus précis.

Régulateur à double pale immergée

En principe, le petit pilote Raytheon 800 est capable de s'adapter à tous ces différents types de régulateurs, mais l'option télécommande portable rend le pilote Raytheon 1000 (le plus petit à posséder cette option) et le Simrad TP10 plus attractifs.

Des années d'expérience ont montré, à maintes reprises, que nombre de navigateurs qui préparent une croisière hauturière, surtout ceux avec peu de milles sous la quille, commencent par simplement installer un pilote automatique. Ils choisissent un système robuste et puissant pour la sécurité et la fiabilité. Après quelques jours en mer, parfois avant d'être hors de portée des ports équipés, il arrive qu'ils changent radicalement d'opinion. Quelquefois quelques quarts de nuits sur l'océan sont suffisants pour donner envie à l'équipage d'adopter une solution plus simple, comme un régulateur d'allure silencieux et confortable.

Beaucoup de propriétaires de voiliers aboutissent finalement à la conclusion qu'investir dans un pilote automatique puissant n'était pas vraiment nécessaire ; en fin de compte, c'est le vent qui est le meilleur barreur. Ils s'équipent alors d'un petit pilote automatique pour le fixer sur le régulateur pour le pot-au-noir et sont parés à toute éventualité. L'équipement combiné régulateur d'allure/pilote automatique de cockpit est souvent moins coûteux qu'un puissant pilote automatique in-bord et toujours moins vorace en énergie pour un nombre beaucoup plus élevé d'heures à la barre.

8 • D'un coup d'œil

Comparaison des systèmes : pilotes automatiques contre régulateurs d'allure

Pilote automatique : le pour

- Invisible
- Compact
- Fonctionnement simple
- Le calculateur du pilote automatique peut s'intégrer à un réseau d'instruments de navigation
- Meilleur marché (pilote électronique de cockpit)
- Ne pose aucun problème au moteur
- Toujours prêt à l'emploi

Pilotes automatiques : le contre

- Consomme du courant
- Le capteur de girouette anémomètre est n'est pas parfait pour l'asservissement du pilote automatique
- Un temps de réaction élevé
- Bruyant lorsqu'il est en marche
- Fiabilité technique
- Durée de vie limitée des éléments de transmission
- La qualité du pilotage baisse à mesure que le vent et la mer se lèvent
- Les paliers du safran subissent des efforts supplémentaires (le bras d'un barreur amortit les chocs à la barre ; le vérin, par contre, reste rigide, par conséquent tous les chocs sont absorbés par les paliers du pilote automatique)

Régulateur d'allure : le pour

- L'impulsion de pilotage provient du vent
- Pas de consommation de courant
- La qualité du pilotage s'améliore lorsque le vent et la mer se lèvent
- Réaction immédiate
- Fonctionnement silencieux
- Fiabilité mécanique
- Robustesse
- Safran auxiliaire = safran de secours
- Durée de vie longue
- Les paliers du safran subissent peu d'efforts (systèmes servo-pendulaires) car la transmission n'est pas rigide

Régulateur d'allure : le contre

- Aucune utilité si le vent n'est pas de la partie
- Erreur de réglage possible
- Certains systèmes gênent les manœuvres au moteur
- Peut nécessiter le déplacement de l'échelle de bain (système servo-pendulaire)
- Pas très discret
- Parfois compliqué à installer

Différences entre pilote automatique et régulateur d'allure

	Pilote automatique	Régulateur d'allure	Combinaison
Réseau de données	Possible	Impossible	Possible
Origine du signal	Compas	Vent	Compas/vent
Force de pilotage	Force et vitesse constantes	Augmentation progressive de la force de pilotage	Les deux
Qualité de pilotage	Se dégrade à mesure que le vent et la mer se lèvent	S'améliore à mesure que le vent et la mer se lèvent	Les deux
Heures à la barre	Pauses obligatoires pour réduire la consommation	Pilote en continu	Les deux
Angle de lacet	Réglage manuel	Dépend du système	Les deux
Facilité du fonctionnement	Bouton-poussoir	Demande de bons réglages	Les deux

Les limites ultimes du pilotage automatique

Aucun système de pilotage automatique ne peut garder un bateau sous contrôle en permanence dans n'importe quelles conditions. On peut augmenter les capacités des différents systèmes par un réglage attentif et des prises de ris rapides - c'est-à-dire qu'on réduit la gîte et par conséquent l'ampleur des coups de barre nécessaires pour conserver le bateau sur son cap. Ces mesures augmentent presque toujours la vitesse du bateau et améliorent la précision du pilotage automatique.

A bord de ce Carena Néerlandais de 40 pieds, le pilotage automatique sous voile signifie navigation de tout repos sans intervention à la barre.

Chaque système a son profil de performance, il délivre toujours la même force dans les mêmes conditions. Les différences de performance résultent des caractéristiques propres au bateau à piloter, et notamment de la volonté et de la capacité de l'équipage à régler les voiles correctement (manœuvres pour lesquelles l'équipage dispose généralement de tout le temps nécessaire).

L'importance du réglage des voiles

Les deux types de pilotes automatiques pâtissent également d'un mauvais réglage des voiles. Pour un pilote automatique, de mauvais réglages signifient plus de force à exercer sur la barre, et donc une augmentation spectaculaire de la consommation électrique. Les réserves de puissance diminuent, la course du vérin augmente, et le mouvement de lacet s'amplifie ; le pilote automatique perd plus rapidement le contrôle du bateau.

De la même manière, de mauvais réglages diminuent les réserves de puissance et augmentent la course des drosses d'un régulateur d'allure. De mauvais réglages rendent la barre ardente - ce qui revient à naviguer avec le frein à main.

9 • La situation actuelle

Nous avons évoqué tous les systèmes existant à ce jour. Après trente ans de développement, le marché offre les options suivantes :

Pilote automatique

- Pilote automatique de cockpit
- Pilote automatique in-bord

Régulateur d'allure

- Système à safran auxiliaire
- Système servo-pendulaire
- Système à double pale immergée

Combinaison pilote automatique de cockpit/régulateur d'allure

Les critères clés pour la sélection d'un système sont fonction de la taille du bateau à piloter, en les classant selon les catégories suivantes :

- Jusqu'à 9 mètres/30 pieds
- Jusqu'à 12 mètres/40 pieds
- Jusqu'à 18 mètres/60 pieds
- Plus de 18 mètres/60 pieds

Le type de bateau

- Quille longue
- Quille sabre longue et aileron de gouvernail
- Quille sabre profonde, et safran suspendu équilibré
- Dériveur ou lest interne
- Déplacement ultra léger (ULDB)
- Multicoque

Le potentiel de vitesse

- Bateau capable de déjauger, oui/non ?

Le pilotage

- Barre franche
- Barre à roue à transmission mécanique
- Barre à roue à transmission hydraulique

L'emplacement du cockpit

- Arrière
- Central

L'utilisation

- Vacances et week-ends
- Croisière côtière
- Croisière hauturière
- Régate/course

Les Tendances

Environ 80 à 90 % des voiliers de croisière ont maintenant un pilote automatique. Raytheon possède la plus grande part du marché mondial. L'entreprise est pour une grande part à l'origine du développement des pilotes automatiques pour voiliers. Raytheon et Simrad se partagent l'essentiel du marché des pilotes automatiques de cockpit. L'offre, en matière de pilotes automatiques in-bord, est beaucoup plus large. Raytheon, le fabricant norvégien Simrad avec sa filiale Robertson - surtout présent sur le marché des navires de commerce mais également le leader sur le marché des grands yachts, les Britanniques Brookes & Gatehouse et Cetrek, le suédois Silva et l'allemand VDO sont parmi les plus connus.

Il a fallu 20 ans pour qu'un simple pilote automatique à vérin évolue vers les systèmes intégrés de navigation actuels, contrôlés par ordinateur. Une évolution remarquable si l'on considère que tout cela s'est passé en l'espace d'une génération ! Cette évolution nous rappelle également que même la technologie la plus avancée est soumise aux lois de la physique. Et comme de nombreux navigateurs ont pu le constater, ces lois ont des griffes plutôt acérées une fois en mer.

Un défaut mécanique à l'intérieur d'un pilote automatique implique quasi systématiquement qu'il faut prendre la barre soi-même, une perspective épuisante lorsqu'on est loin de toute terre. Pour confirmer la fréquence des pannes, il suffit de consulter la liste des voiliers en attente d'une réparation de pilote automatique avant le départ de la course de l'ARC, tous les mois de novembre, à Las Palmas. Les techniciens des fabricants, qui font toujours le voyage depuis l'Angleterre pour l'événement, travaillent sans relâche. La plupart des bateaux possèdent un pilote automatique de rechange à bord, au cas où...

Comparés à l'évolution rapide des pilotes automatiques, les régulateurs d'allure progressent à la vitesse de l'escargot. La plupart des systèmes actuellement sur le marché sont restés pratiquement inchangés depuis leur première apparition. La petite taille des entreprises qui fabriquent ces régulateurs, ainsi que leur manque de moyens pour financer un département Recherche et Développement performant, constituent une des explications possibles à ce phénomène. D'un autre côté, il est toujours difficile de remplacer dans sa gamme un produit dont les ventes restent satisfaisantes. Enfin, certains fabricants ne s'engagent tout simplement pas dans l'innovation conceptuelle, préférant trouver l'inspiration chez ceux qui repoussent les limites dans ce secteur. Le client étant en général assez critique et exigeant, ces fabricants « copieurs » ont tendance, comme l'histoire le montre, à trouver le marché assez rude.

Si,, dans le monde de la voile, la croyance perdure qu'Aries est le régulateur d'allure servo-pendulaire idéal, c'est peut-être parce que la plupart des navigateurs ne connaissent pas les différents systèmes disponibles et n'ont pas les moyens de faire une comparaison objective entre les produits. Tous les grands fabricants de systèmes servo-pendulaires utilisant un engrenage conique ont maintenant le même rapport cinétique de transmission. Cependant, leurs produits diffèrent considérablement en termes d'exécution, de méthode de production et de style.

La progression rapide du concurrent électrique a poussé certains fabricants de régulateurs d'allure à réfléchir. Les plaquettes sur papier glacé promettant un pilotage automatique pour gros bateaux pour moins d'1 Ampère ont au moins irrité bon nombre de navigateurs. Pendant de nombreuses années, des débats parfois houleux ont tourné autour des avantages et des inconvénients des deux systèmes. Maintenant, les navigateurs ont une idée beaucoup plus claire du pour et du contre de toutes les options possibles, et sont bien conscients de l'importance capitale que représente un bon système de pilotage automatique pour les grandes traversées.

La définition d'un bon régulateur d'allure a changé de façon spectaculaire durant ces 25 dernières années. Au début, un système capable de conserver le bateau a peu près sur son allure était qualifié de succès, de plus une apparence rustique, un poids excessif, un maniement délicat, et de fréquentes révisions n'étaient pas considérés comme des handicaps. Aujourd'hui, les fabricants de régulateurs d'allure sont en compétition sur un marché où le consommateur est parfaitement capable de faire la différence entre tous les produits offerts en utilisant comme référence universelle la simplicité du pilote automatique, caractérisée par la commande presse-bouton !

Il est intéressant de remarquer que presque tous les navigateurs qui envisagent l'achat (ou qui achètent) un régulateur d'allure utilisent déjà un pilote automatique. Une fois installé, cependant, le régulateur d'allure prend en charge jusqu'à 80 % du pilotage et le pilote automatique est très rarement branché lorsque les voiles sont hissées. Jimmy Cornell a confirmé ce verdict à la suite des réunions déjà mentionnées. La tendance qui consiste à équiper un voilier avec les deux types de systèmes s'est de plus en plus affirmée au cours des 10 courses de l'ARC courues à ce jour. Les régulateurs d'allure sont plus importants que jamais en raison de la fiabilité de leur pilotage lors de grands voyages en équipage réduit.

Conseils pratiques

A partir des critères développés dans ce livre, vous devriez pouvoir choisir avec discernement le régulateur d'allure ou le pilote automatique de cockpit qui convient à votre bateau et à votre programme de navigation. Par contre, si vous recherchez un pilote automatique inbord, vous aurez besoin des conseils d'un spécialiste pour les calculs de surface, d'efforts ou de force au niveau du safran, qui font normalement partie du processus de commande des grands fabricants, ne serait-ce que pour déterminer le choix de l'unité de puissance.

Il va rapidement devenir évident, en lisant le résumé du marché qui suit, que tout le marché du pilotage automatique a subi une forte concentration ces dernières années. Peu d'entreprises sont maintenant capables de développer une politique marketing au niveau mondial avec des plaquettes multilingues et d'assurer une présence régulière aux salons nautiques internationaux, autant d'actions spectaculaires qui suscitent l'intérêt et permettent de gagner la confiance de clients potentiels. Raytheon, Simrad, B & G, Robertson, Hydrovane, et Windpilot font partie des fabricants présents sur tous les salons européens et offrent un service clientèle rapide et de qualité. Ce sont aussi des entreprises dont les systèmes sont suffisamment connus et reconnus pour garantir la pérennité de leur présence sur le marché.

Le nombre d'entreprises contraintes à la disparition illustre le niveau de compétence du consommateur sur ce marché. Un bon produit n'est pas suffisant. Des conseils avisés et un bon service client sont essentiels dans ce type d'affaire, où l'honnêteté et les promesses réalistes sont plus importantes que les longs discours qui n'ont plus cours une fois passée la sortie du port. Les garanties écrites sont peut-être valables en tant que techniques publicitaires, mais elles sont inutiles lorsqu'il y a un problème et qu'il faut avant tout prouver que la panne n'est pas due à une négligence à bord. Ce qui compte dans ces cas-là, c'est une assistance rapide qui ne dépende pas de la bureaucratie pour que le voyage puisse continuer, une panne de régulateur d'allure peut très facilement gâcher un itinéraire. Un arrêt durant lequel le fabricant exige document sur document pour tenter de faire des économies est loin d'être un avantage pour le consommateur. Le bouche à oreille entre navigateurs est la publicité dont rêvent les fabricants et la construction d'un noyau de navigateurs satisfaits coûte des années de bons et loyaux services. Par contre, une fois ce stade atteint, les produits se vendent tout seuls !

L'aspect dont il faut tenir compte est que même un seul client insatisfait peut, durant son voyage, clamer son mécontentement suffisamment fort pour générer une contre-publicité face à laquelle même une publicité pleine page sur papier glacé ne peut rien. La seule manière de garantir la stabilité des affaires est de cultiver un « fan club » au sein même de la communauté nautique : la mer ne tolère pas les mauvais conseils, et on ne peut pas ignorer les résultats, comme par exemple lorsqu'il faut prendre la barre parce que le système de pilotage automatique est en panne.

Il est curieux de voir que les navigateurs sont partagés en ce qui concerne les garanties. Les défauts d'un pilote automatique sont plus ou moins passés sous silence. Il est souvent impossible d'estimer l'exactitude des promesses du fabricant en ce qui concerne les modifications, l'amélioration de la qualité et donc de la durée de vie, avant la fin de la période de garantie. Les exigences par rapport au régulateur d'allure sont normalement plus importantes : les propriétaires s'attendent à ce que le système soit quasiment parfait pendant toute sa durée de vie. Le nombre très faible de systèmes d'occasion disponibles sur le marché (mis à part les petits systèmes dont les propriétaires se séparent lorsqu'ils changent de bateaux) montre la satisfaction des clients même sur le long terme.

Le succès des grandes entreprises du marché est basé sur leur endurance, une présence régulière sur les salons et de bonnes références provenant de clients exigeants. Le tableau ci-dessous montre la prédominance des différents fabricants de régulateur d'allure lors de la course de l'ARC des éditions 95 et 96, et donne une indication assez précise de la popularité de chaque système.

Départ de la course de l'ARC, Las Palmas 1996.

Distribution

L'écart entre pilote automatique et régulateur d'allure dans ce domaine pourrait difficilement être plus spectaculaire. En raison de leur grosse part de marché, les pilotes automatiques sont disponibles à travers des réseaux de distribution internationaux à l'intérieur desquels tout contact direct entre le fabricant et le consommateur est pratiquement inexistant. Seuls les grands fabricants disposent des ressources nécessaires pour établir et maintenir un réseau de service d'envergure mondiale, un facteur important lorsqu'on envisage un grand voyage. Les grands fabricants sont présents sur tous les salons nautiques.

Les régulateurs d'allure sont quasiment toujours vendus en direct. Le contact personnel entre le fabricant et le navigateur est systématique et détermine souvent la confiance du consommateur. A l'époque de l'Immarsat, du fax, du courrier électronique, d'UPS, de DHL et du transport aérien, il n'existe pas un coin au monde où la communication directe et la livraison soient impossibles. Fabricants prenez garde, si votre produit n'est pas satisfaisant, il n'y aura nulle part où vous cacher !

L'auteur (à gauche) et Hans Bernwall de Monitor au London Boat Show de 1996.

10 • Informations techniques

Caractéristiques techniques d'une sélection

Marque	Raytheon			
Modèle	**AH800**	**ST1000**	**ST2000**	**ST4000T**
Voltage	12 V	12 V	12 V	12 V
Cons. Moyenne				
en veille	0,06 A	0,06 A	0,06 A	0,06 A
utilisation 25 %.	0,5 A	0,5 A	0,5 A	0,7 A
Temps de butée à butée				
Sans charge	6,7 s	6,7 s	4,1 s	3,9 s
20 kg de charge	9,6 s	9,6 s		
40 kg de charge			6,4 s	5,8 s
Poussée	15 kg	57 kg	77 kg	84 kg
Course du vérin	25 cm	25 cm	25 cm	25 cm
Vitesse de rotation d'une barre à roue	-	-	-	-
Couple Max. à la roue	-	-	-	-
Nombre de tours max.				
Télécommande	Non	Oui	Oui	Oui
Pour bateaux jusqu'à	2 t.	2 t.	3,5 t.	5,5 t.
Alarme écart de route	Oui	Oui	Oui	Oui
Contrôle de la bande morte	Oui	Oui	Oui	Oui
Réversible	Oui	Oui	Oui	Oui
Gain réglable	Non	Oui	Oui	Oui
Virement automatique	Oui	Oui	Oui	Oui
Etalonnage du compas	Non	Oui	Oui	Oui

de pilotes automatiques de cockpit

			Simrad			
ST4000GP	**ST 3000**	**ST4000W**	**TP10**	**TP30**	**WP10**	**WP30CX**
12 V	12 V	12 V	12 V	12 V	12 V	12 V
0,06 A	0,06 A	0,06 A	0,06 A	0,06 A	0,06 A	0,06 A
0,7 A	0,7 A	0,75 A	0,5 A	0,5 A		
4,3 s			6,5 s	4,2 s		
		9,0 s	6,0 s			
5,5 s						
93 kg	-	-	65 kg	85 kg		
25 cm	-	-	25 cm/	25 cm/		
-	3,3 tr/min	5,5 tr/min	-	-		
-	70 Nm	75 Nm	-	-		
	jusqu'à 3,5	jusqu'à 3,5	-	-		
Oui	Oui	Oui	Non	Oui	Oui	Oui
9 t.	5,5 t.	6,5 t.	2,8 t.	5,5 t.		
Oui	Oui	Oui	Non	Oui	Non	Oui
Oui	Oui	Oui	Oui	Oui	Oui	Oui
Oui	Oui	Oui	Oui	Oui	Oui	Oui
Oui	Oui	Oui	Oui	Oui	Oui	Oui
Oui	Oui	Oui	Oui	Oui	Oui	Oui
Oui	Oui	Oui	Oui	Oui	Oui	Oui

Les 12 types de régulateurs d'allure

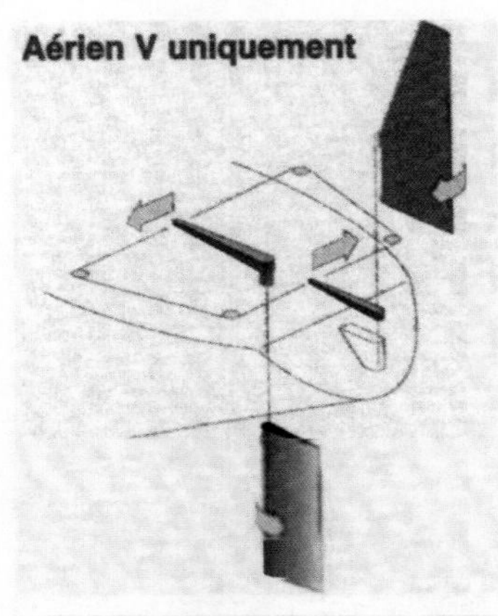

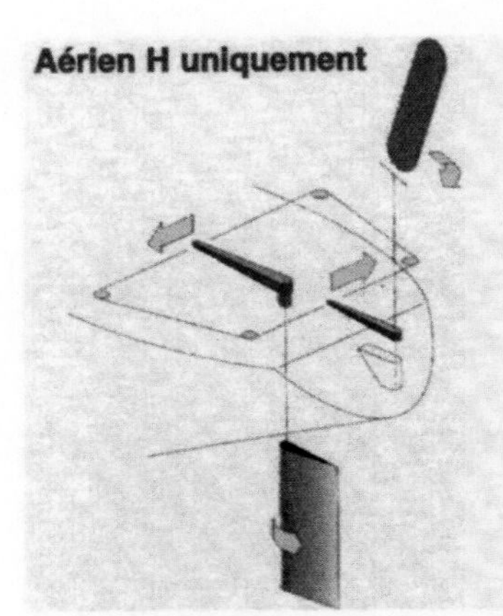

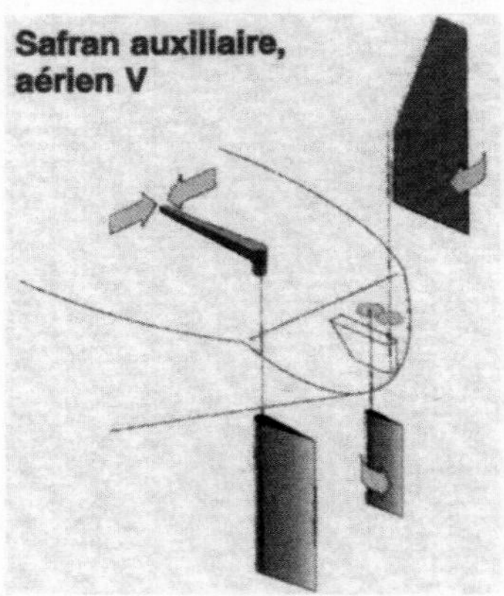

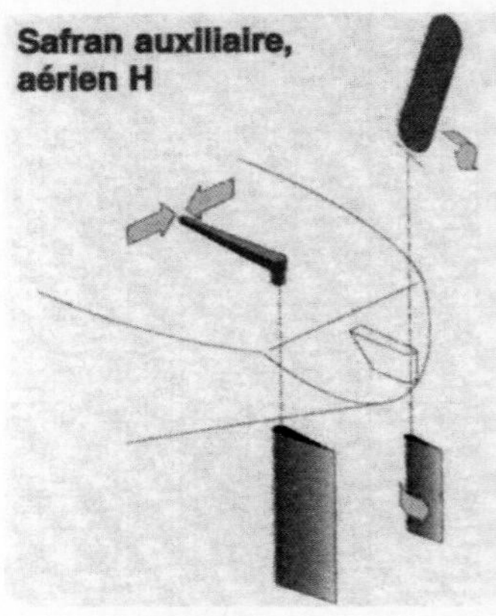

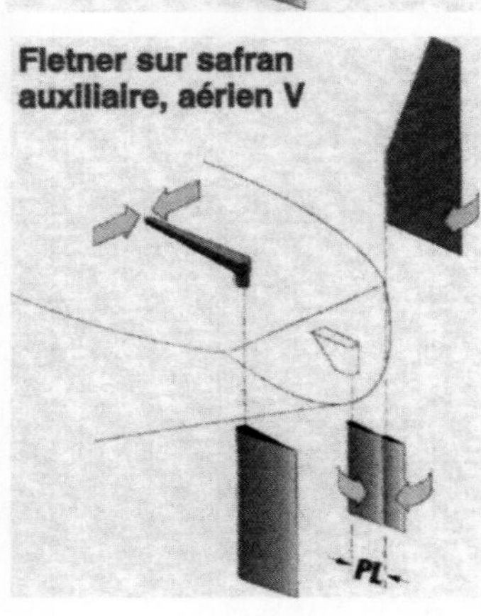

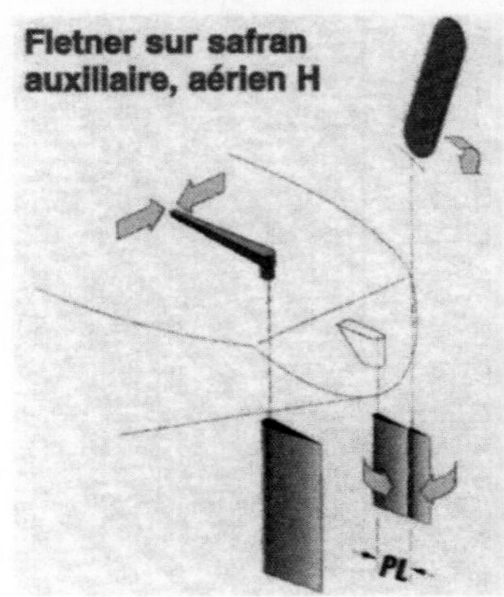

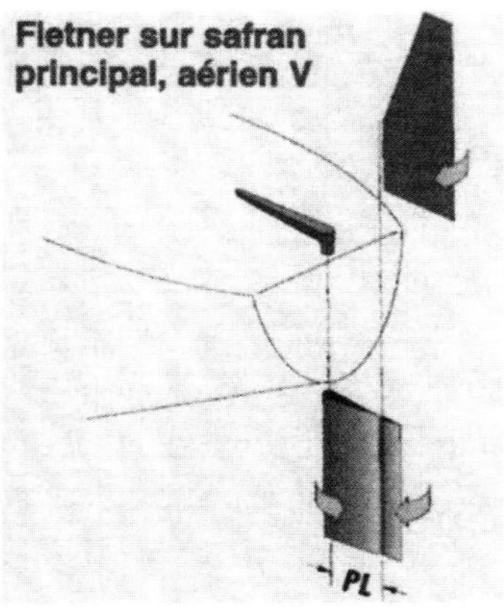
Fletner sur safran
principal, aérien V
PL

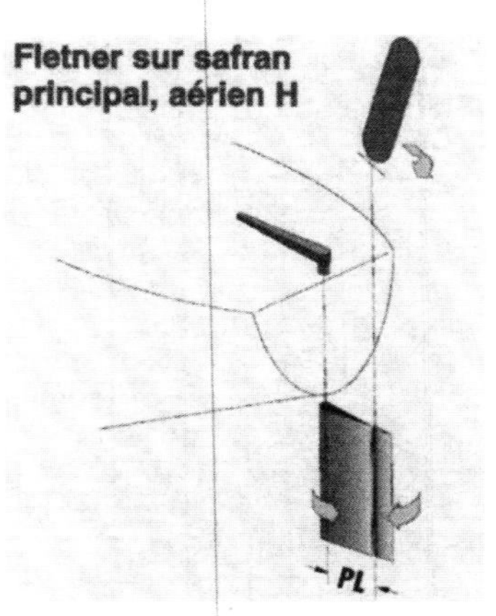
Fletner sur safran
principal, aérien H
PL

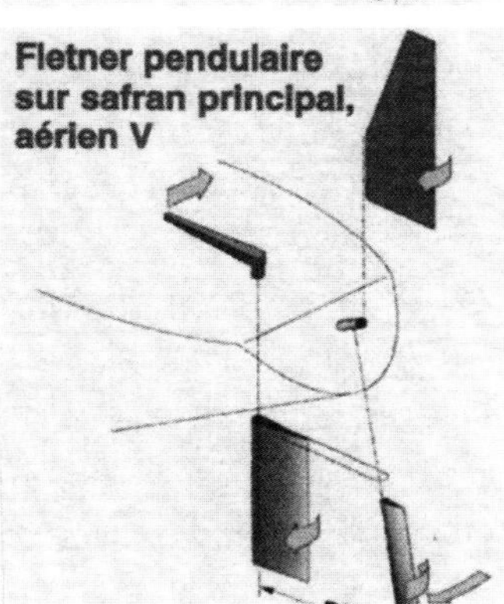
Fletner pendulaire
sur safran principal,
aérien V
PL

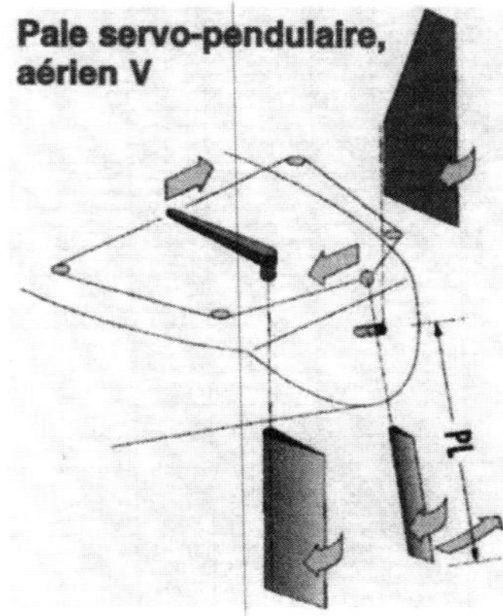
Pale servo-pendulaire,
aérien V
PL

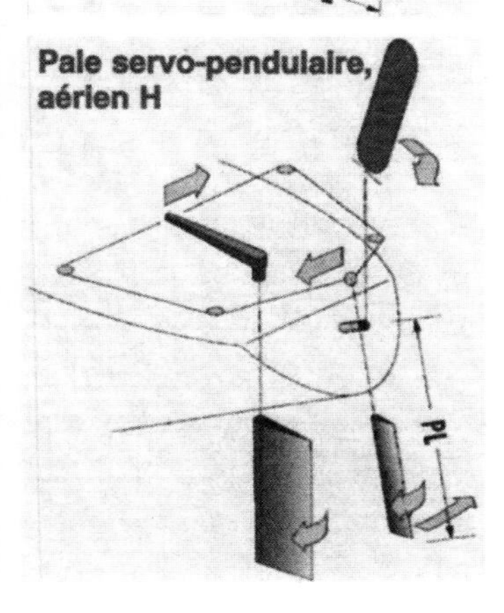
Pale servo-pendulaire,
aérien H
PL

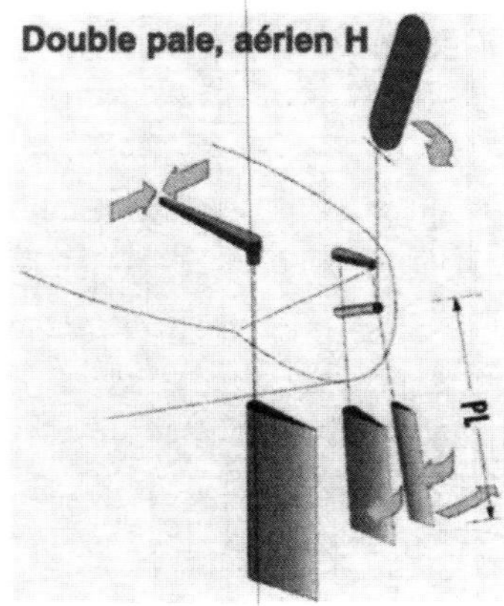
Double pale, aérien H
PL

Récapitulatif des douze types de système

N°	Type	Fabricant et modèle	Pays	Type d'aérien
1	**Aérien uniquement**	Windpilot Nordsee	D	V
2	**Aérien uniquement**	QME	GB	H
3	**Safran auxiliaire**	Windpilot Atlantik 2/3/4	D	V
		Windpilot Caribic 2/3/4	D	V
4	**Safran auxiliaire**	Hydrovane	GB	H
		Levanter	GB	H
5	**Fletner sur safran auxiliaire**	RVG	USA	V
6	**Fletner sur safran auxiliaire**	Auto Helm	USA	H
		BWS Taurus	NL	H
		Mustafa	I	H
7	**Fletner sur safran principal**	Hasler trim tab≈	GB	V
		Windpilot Pacific trim tab	D	V
8	**Fletner sur safran principal**	Atlas	F	H
		Auto-Steer	GB	H
		Viking Roer	S	H
9	**Fletner sur gouvernail pendulaire**	Saye's Rig	USA	V
		Quatermaster	GB	V
10	**Pale servo-pendulaire**	Hasler	GB	V
		Schwingpilot	D	V
		Windpilot Pacific Mk I	D	V
11	**Pale servo-pendulaire**	Aries Standard	GB	H
		Aries Lift-Up	GB	H
		Aries Circumnavigator	GB	H
		Atoms	F	H
		Atlas	F	H
		Auto-Steer	GB	H
		Bogassol	E	H
		Bouvaan	NL	H
		Cap Horn	Can	H
		Fleming	NZ	H
		Monitor	USA	H
		Navik	F	H
		SuperNavik	F	H
		Sailomat 601	S	H
		Sirius	NL	H
		Windtrakker	GB	H
		Windpilot pacific light	D	H
		Windpilot Pacific	D	H
12	**Double pale**	Stayer/Sailomat 3040	S	H
		Windpilot Pacific Plus	D	H

***Bras de levier** = PL en anglais. Donne une indication de la puissance que l'on peut attendre d'un système. Plus le bras de levier est long, plus la puissance est importante et plus le pilotage est efficace*

Rappel : A quoi sert un régulateur qui ne fonctionne que dans 60 à 70 % des conditions que l'on est susceptible de rencontrer et qui est incapable de barrer au portant lorsque le vent est soit trop faible soit trop fort ?

*La **Puissance servo** est générée en exploitant l'énergie de l'eau qui s'écoule le long de la coque.*

***Taille du bateau** (voir les caractéristiques du fabri-*

sance servo	Bras de levier	Engrenage conique	Taille du bateau	Produit actuellement
Non	0	Non	< 6 m/20ft1	Non
Non	0	Non	< 7 m/23ft	Non
Non	0	Non	< 10 m/33ft	Non
Non	0	Non	< 10 m/33ft	Non
Non	0	Non	< 15 m/45ft	Oui
Non	0	Non	< 12 m/39ft	Non
Oui	< 25 cm	Non	< 12 m/39ft	Non
Oui	< 25 cm	Non	< 12 m/39ft	Oui
Oui	< 20 cm	Non	< 15 m/49ft	Oui
Oui	< 25 cm	Non	< 18 m/60ft	Oui
Oui	< 50 cm	Non	< 12 m/39ft	Non
Oui	< 50 cm	Non	< 12 m/39ft	Non
Oui	< 50 cm	Non	< 10 m/33ft	Non
Oui	< 50 cm	Non	< 12 m/39ft	Oui
Oui	< 50 cm	Non	< 12 m/39ft	Non
Oui	< 100 cm	Non	< 18 m/60ft	Oui
Oui	< 100 cm	Non	< 10 m/33ft	Non
Oui	< 150 cm	Non	< 12 m/39fp	Non
Oui	< 50 cm	Non	< 12 m/39ft	Non
Oui	< 140 cm	Oui	< 14 m/46ft	Non
Oui	< 190 cm	Oui	< 18 m/60 ft	Oui
Oui	< 190 cm	Oui	< 18 m/60 ft	Non
Oui	< 190 cm	Oui	< 18 m/60 ft	Non
Oui	< 140 cm	Non	< 12 m/39 ft	Non
Oui	< 140 cm	Non	< 12 m/39 ft	Non
Oui	< 160 cm	Oui	< 15 m/49 ft	Oui
Oui	< 139 cm	Non	< 12 m/39 ft	Oui
Oui	120-150 cm	Non	< 12 m/39 ft	Oui
Oui	120-150 cm	Non	< 14 m/46 ft	Oui
Oui	130-170 cm	Oui	< 18 m/60 ft	Oui
Oui	< 160 cm	Oui	< 18 m/60 ft	Oui
Oui	< 140 cm	Non	< 10 m/33 ft	Oui
Oui	< 170 cm	Non	< 13 m/43 ft	Non
Oui	140-210 cm	Non	< 18 m/60 ft	Oui
Oui	< 150 cm	Oui	< 13 m/43 ft	Non
Oui	< 170 cm	Oui	< 15 m/49 ft	Oui
Oui	< 140 cm	Oui	< 9 m/30 ft	Oui
Oui	160-220 cm	Oui	< 18 m/60 ft	Oui
Oui	< 130 cm	Non	< 12 m/39ft	Non
Oui	160-220 cm	Oui	< 18 m/60ft	Oui

cant). Les véritables capacités d'un système, par rapport à la taille maximale du bateau sont soumises à certaines restrictions.

Amortissement avec aérien V. *Obtenu au moyen d'une déviation rotative limitée de l'aérien, maximum = angle de déviation de l'allure*

Amortissement avec aérien H. *Obtenu au moyen d'une transmission par engrenage conique réducteur de rapport 2:1 ; amortissement automatique, et donc sur-correction impossible. Les systèmes sans un amortissement complet demandent plus de corrections manuelles de la part de l'équipage.*

Données techniques concernan

	Principe de fonctionnement			Aérien		Matériaux	
	SA	SP	DP	Type	Inclinaison réglable	Aérien	Système
Aries STD		+		H	oui	contre plaqué	aluminium
Hydrovane	+			H	oui	aluminium/ Dacron(r)	aluminium
Monitor		+		H	non	contreplaqué	acier inox
Navik		+		H	non	thermo-plastique	acier inox
Stayer/ Sailomat 3040			+	H	non	mousse	aluminium
Sailomat 601		+		H	non	contreplaqué	aluminium
Schwingpilot		+		V	-	fibre de verre/ epoxy	aluminium
WP Alantik	+			V	-	acier inoxydable/ Dacron(r)	acier inox
WP Pacific Light		+		H	oui	contre plaqué	aluminium
WP Pacific		+		H	oui	contre plaqué	aluminium
WP Pacific Plus			+	H	oui	contre plaqué	aluminium

Données techniques concernant une séle

	Télécommande	**Pale au repos**	**Gouvernail de secours possible**	**Boulons de démontage**
Aries STD	+	Non relevable	Non	8
Hydrovane	En option	Fixe ou amovible	Oui	4
Monitor	+	Pivote vers l'arrière	Non	4
Navik	+	Déconnecter et relever	Non	4
Stayer/ Sailomat 3040	+	Sort par en dessous	Oui	2
Sailomat 601	+	Relevable	Non	1
Schwingpilot	+	Sort par en dessous	Non	4
WP Atlantik	-	Fixe	Oui	2
WP Pacific Light	-	Relevable	Non	1
WP Pacific	+	Relevable	Non	1
WP Pacific Plus	+	Relevable	Oui	2

ıne sélection de régulateurs d'allure

	Paliers	Système d'amortissement	Poids installé (Kg)	Nombre de boulons dinstallation
ᴾale				
ɔolyester	autolubrifiant	engrenage conique	35	8
ɔlastic moulé	billes et autolubrifiant	transmission à trois positions	environ 33	4-6
ɪcier inoxydable	bille et aiguille	engrenage conique	environ 28	16
ɔolyester	autolubrifiant	-	19	8
ɔolyester/ ɪluminium	aiguille	axe orienté vers l'arrière	35	8
ɪluminium	aiguille/bille	axe orienté vers l'arrière	24	4
ɪluminium	autolubrifiant	aérien V	28	8
ɔolyester/ ɪcier inoxydable	autolubrifiant	aérien V	35	4
ɔois	autolubrifiant	engrenage conique	13	4
ɔois	autolubrifiant	engrenage conique	20	4
ɔois/polyester	autolubrifiant	engrenage conique	40	8

·égulateurs d'allure

ıptateur à roue ǀlable avec/par	Tailles disponibles	Convient aux bateaux jusqu'à
Roue dentée	1	18 m
-	1	Approx 15 m
ıupille à ressort	1	18 m
-	1	Approx 10 m
-	3	18 m
Tambour fixe	1	18 m
-	1	Approx 12 m
-	3	10 m
ıenage sans fin	1	9 m
ıenage sans fin	1	18 m
-	2	12/18 m

SA = système à safran auxiliaire
SP = système servo-pendulaire
DP = système à double pale
WP = Windpilot

WP = Windpilot

11 • Les fabricants de A à Z

Les pilotes automatiques

Alpha. Cette entreprise basée aux USA fabrique des pilotes automatiques simples et robustes reconnus pour leur rendement par rapport à leur consommation électrique. Interfacés à un PC, ils sont capables de traiter toutes les données électroniques du bord.

Autohelm. Fondé en 1974 par l'ingénieur britannique Derek Fawcett, Autohelm n'a jamais cessé de se développer et l'entreprise a fusionné en 1990 avec Raytheon Inc, une multinationale comptant 70 000 employés, avec des centres intérêts allant des réfrigérateurs aux fusées. Peu de temps après ils ont lancé ensemble leur propre bus de données et un protocole de transfert. Raytheon est devenu Ray Marine en 2001.

Le panneau de contrôle caractéristique à six boutons poussoirs fut introduit en 1984 et reste inchangé à ce jour : Auto - active le pilote automatique, +1/+10 - ajoute 1° ou 10° au cap, -1°/-10° - soustrait 1° ou 10° au cap, Standby - met le pilote automatique en veille.

SeaTalk (ST) indique que les systèmes sont équipés de manière à pouvoir utiliser le bus de données. Un simple câble relie tous les systèmes, permettant aux instruments de s'échanger les données du vent, de la vitesse, du GPS et de la centrale de navigation. Autohelm reste en tête dans ce secteur et tous ses systèmes (mis à part le AH 800) sont compatibles ST et permettent une liaison vers d'autres modules. Tous les systèmes ont une interface NMEA 0183. La gamme Autohelm est produite sur le site de l'entreprise en Angleterre avec un effectif de 300 employés. L'entreprise possède actuellement 90 % du marché des pilotes automatiques de cockpit, et à peu près 50-60 % du marché des pilotes automatiques inbord pour voiliers d'une longueur inférieure

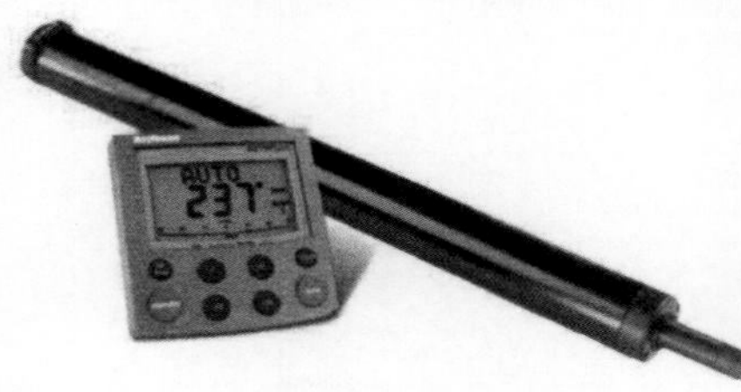

Pilote ST 2000 de Raytheon.

à 18 mètres. Les unités inbord les plus importantes pour l'usage à bord d'un voilier sont le ST 6000 et le ST 7000. Le ST 7000 possède un écran de contrôle plus grand et un capteur analogique de la position du safran ; tous deux sont des pilotes automatiques auto-adaptatifs qui peuvent aussi être réglés par l'utilisateur. Autohelm dispose d'un réseau mondial de distributeurs et des services après-vente qualifiés dans le monde entier.

Benmar. Il s'agit d'un fabricant américain peu connu en Europe. Benmar fournit des pilotes automatiques à de nombreux bateaux à moteur de plus de 12 m aux USA.

Brookes & Gatehouse. L'entreprise anglaise Brookes & Gatehouse (B & G) fut fondée un an après la naissance du transistor et le début de la révolution électronique. L'entreprise a atteint la notoriété grâce à ses gammes d'instruments légendaires que sont Homer et Heron, utilisés sur quasiment tous les grands voiliers de l'époque. Des développements continus dans le secteur de l'électronique du bord ont fait que cette entreprise conserve une part de marché importante. Avec sa gamme complète d'instruments intégrés, B & G a une portée internationale. Le Network Pilot est son modèle de base. Le Hydra relie tous les modules ensemble, permettant des vitesses de réaction extrêmement rapides de par son propre bus de données haute vitesse. Le Hy-Pro est le tout dernier à avoir été ajouté à la gamme, c'est un pilote automatique hydraulique haut de gamme avec des modules intégrés ou disponibles séparément, permettant de collecter les données d'un grand nombre de paramètres en rapport avec le pilotage. B & G est probablement le seul à offrir un manuel sur CD Rom. Les systèmes Hydra et Hercules Pilot sont disponibles en plusieurs dimensions et avec des caractéristiques variées ; on les trouve le plus souvent sur les grands voiliers.

Les systèmes B & G participent à toutes les grandes courses (Whitbread, Fastnet, Sydney-Hobart, America's Cup, Admiral's Cup) où l'on privilégie uniquement la qualité de leurs capteurs et processeurs tactiques pour le vent, la vitesse, la profondeur et les données de navigation. B & G dispose d'un réseau mondial de distributeurs et de service après-vente.

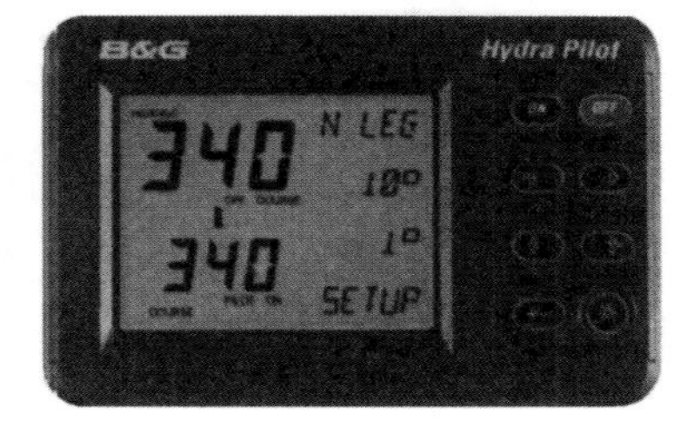

Le pilote automatique Hydra Pilot de Brookes and Gatehouse.

Cetrek. Un autre nom bien connu et un des pionniers de l'industrie du pilote automatique, ce fabricant anglais équipe également les navires de commerce. Cetrek a inventé le compas auto-compensé et innové en matière d'algorithmes de contrôle connus sous le nom de « fuzzy logic ». Cetrek a été racheté par la société Teleflex, un spécialiste dans tous les domaines du pilotage maritime. Elle offre maintenant une gamme complète d'instruments capables de communiquer leurs données pour la plaisance. Son modèle C-NET 780 est auto-adaptatif et ses caractéristiques incluent l'auto-apprentissage, la mise en phase automatique, et un menu de 20 fonctions dont le choix entre « vitesse de carène » et « planning ». Cetrek est basé en Grande Bretagne mais possède des filiales aux USA.

Coursemaster. Ce fabricant australien a une bonne réputation grâce à ses pilotes automatiques robustes. Tous les types d'unités de puissance sont disponibles. Leurs systèmes dépendent en majorité du réglage manuel.

Simrad. Unique challenger d'Autohelm dans certaines parties du globe, Simrad produit ses modèles TP 10, 20 et 30 depuis pas mal d'années et s'est récemment orienté vers les pilotes automatiques de barre à roue. Le WP 10 et le WP 30 CX sont bien conçus et offrent un choix important de caractéristiques. Le pilote automatique inbord d'origine PL 800 a été remplacé par la nouvelle gamme Oceanpilot pour lequel l'écran de contrôle est plus grand et le capteur d'angle de barre est intégré. Les unités Oceanpilot sont auto-adaptatives, mais le gain de barre et l'option voile/moteur restent réglables manuellement. Simrad offre également une gamme complète d'instruments intégrés. Simrad est un puissant groupe norvégien qui produit des systèmes de navigation très sophistiqués et qui a augmenté sa pénétration du marché de la plaisance en prenant récemment le contrôle de l'anglais Navico

Le pilote automatique de barre franche TP 10 de Simrad.

Neco. Cette entreprise anglaise a également de l'expérience en matière de navires de commerce. Neco s'est lancé dans le secteur des pilotes automatiques des bateaux de plaisance à une époque, mais aujourd'hui elle est retournée à son activité principale.

Robertson. L'entreprise Robertson, filiale du groupe Simrad, fut fondée en 1946 et, à l'origine, elle se consacrait à la fabrication des pilotes automatiques pour navires de pêche, marché qu'elle a rapidement dominé. La Simrad Robertson AS est maintenant le leader du marché dans l'équipement et l'automatisation des navires de commerce et de l'offshore. Ses produits vont des systèmes complets pour le pilotage et la navigation à bord d'un super-pétrolier au simple pilote automatique de petit navire de pêche professionnel.

Le développement vers la navigation de plaisance était un pas logique, puisque les pilotes automatiques conçus pour les rigueurs de la flotte commerciale pouvaient parfaitement s'adapter aux voiliers ; il suffit d'observer la passerelle high-tech d'un chalutier de haute mer moderne pour déterminer les antécédents familiaux des pilotes automatiques de voiliers. Le premier pilote automatique de Robertson destiné à la plaisance fut le AP 22, introduit en 1973. Les pilotes automatiques autoréglables étaient indispensables pour les navires de commerce et suite à leur développement ils devinrent rapidement standards.

Les capacités des pilotes automatiques modernes pour voiliers peuvent parfois sembler incroyables mais en fait, ce ne sont que des dérivés des pilotes automatiques qui équipent les navires de commerce où les pilotes automatiques, qui fonctionnent en continu, sont soumis à des exigences d'un ordre nettement supérieur.

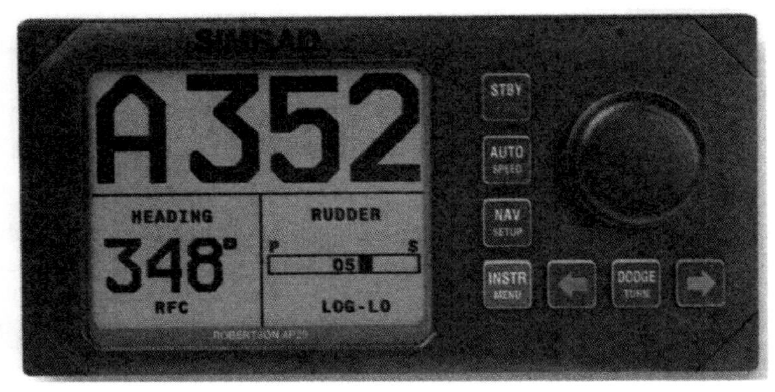

Le pilote automatique AP 20 de Robertson distribué par Simrad.

Les pilotes automatiques Robertson sont reconnus pour leur robustesse. Ils équipent souvent les grandes unités dont de nombreux maxis et des grands yachts à moteur. Les systèmes les plus populaires sont le AP300X et le AP300CX qui possèdent des programmes adaptifs, des capteurs d'angle de safran intégrés et des affichages surdimensionnés. Tous deux utilisent un dispositif où le signal du compas fluxgate est converti en un signal de fréquence. Ce signal est plus facile à traiter et produit donc de meilleures commandes de pilotage. En 1997, une nouvelle gamme de produits, l'AP20, a fait son apparition sur le marché. La distribution des produits se fait via le réseau mondial de filiales et de centres de service dont dispose l'entreprise.

Segatron. Cette entreprise allemande qui produit en faible quantité des produits de haute qualité existe maintenant depuis 28 ans. Cette entreprise et ses cinq employés fabriquent chaque année un petit nombre de pilotes automatiques de premier choix destinés en majorité aux Maxi, y compris ceux conçus par Jongert. Bien entendu Segatron incorpore une interface NMEA pour permettre l'intégration au réseau de données du bord.

Silva. Ce fabricant suédois a récemment présenté un pilote automatique inbord compatible avec un bus de données et il propose plusieurs options pour l'unité de puissance. Le pilote automatique A1500 peut être relié à des instruments Nexus et dispose d'une interface NMEA pour un GPS et un transducteur d'aérien. Les unités de puissance de Silva, antérieurement mises sur le marché sous le nom de Wagner Pilots, ont une bonne réputation de solidité et de fiabilité.

VDO. VDO est une entreprise allemande. Fabricant d'instruments pour l'industrie automobile, cette société est présente dans le secteur maritime depuis bon nombre d'années. En 1993, VDO a lancé sa série VDO Logic Line, autre système d'instruments intégrés. Les systèmes VDO sont distribués par l'intermédiaire de succursales en Allemagne, en Autriche et en Suisse.

Vetus. Grand nom dans l'industrie des sports nautiques, ce fabricant néerlandais commercialise des pilotes automatiques construits en Grande-Bretagne sous le nom Vetus Autopilot, et ce, depuis plusieurs années. Ces systèmes sont également compatibles avec un bus de données. La gamme comprend un grand choix d'unités de puissance mécaniques et hydrauliques.

Les régulateurs d'allure

Aries. Nick Franklin commença la construction des régulateurs servo-pendulaires Aries à Cowes, Ile de Wight, en 1968. A l'origine l'unité était en bronze mais le passage à l'aluminium se fit assez rapidement. Les régulateurs Aries sont restés quasi inchangés jusqu'à l'arrêt de la production à la fin des années 80, lorsque Nick Franklin ferma l'entreprise. Une des caractéristiques de l'Aries est la roue dentée qui permet le réglage de l'allure par incrément de 6°. On raconte que cette pièce n'a jamais été modifiée car la grosse fraiseuse dont l'installation obligeait à enlever le plafond de l'atelier était destinée à son usinage et les grands travaux pour l'installation de cette machine perdaient tout leur sens en cas de modification de cette pièce.

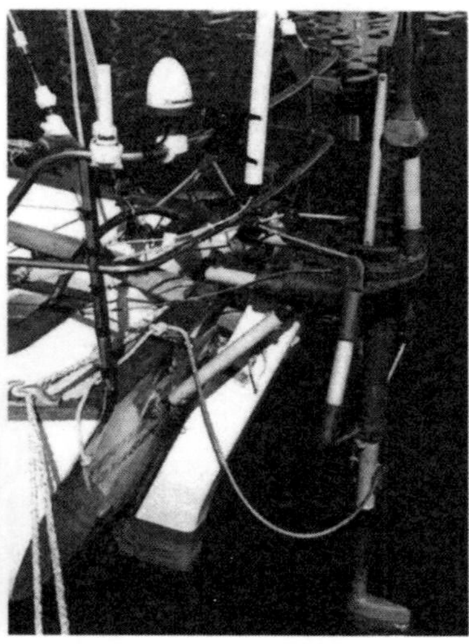

Nick Franklin a conçu le régulateur servo-pendulaire Aries et l'Aries Lift-up.

Grâce à ses nombreux voyages légendaires, le régulateur Aries a acquis une certaine réputation auprès des navigateurs : il symbolise pour beaucoup la robustesse et l'indestructibilité en matière de régulateurs d'allure. Le vérin reliant l'aérien à l'engrenage conique, coulé en métal massif, était surdimensionné, altérant sérieusement les performances de l'ensemble dans le petit temps. Le vérin ne subit jamais d'effort important puisque sa seule fonction est de transmettre la force exercée par l'aérien pour mettre la pale pendulaire en rotation. Au près, le réglage de l'allure par pas de 6° manque de finesse : 6° peuvent représenter la différence entre une route trop abattue et un cap trop pointu.

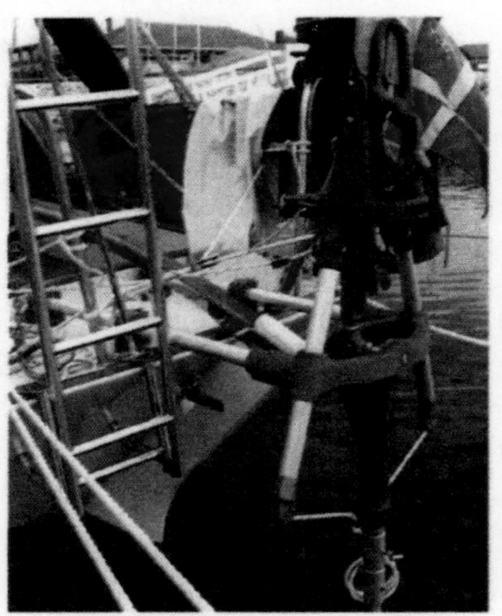
Aries standard.

La pale pendulaire de l'Aries standard est difficile à mettre en place et à enlever. Sachant que normalement elle ne sort pas de l'eau, elle demande beaucoup d'attention en marche arrière. Ces inconvénients rendaient le système incompatible avec les petites traversées d'où la mise au point de l'Aries Lift-up. Cette version permettait de relever et de faire pivoter l'ensemble du régulateur une fois l'aérien et son support démontés. C'était incontestablement une amélioration, mais pas idéale car rien ne retenait le régulateur au support lorsqu'on procédait au « lift-up » : cette manœuvre présentait donc un caractère risqué si on l'effectuait en mer.

L'Aries circumnavigator fit son apparition au milieu des années 80. Il s'agit en gros d'un Aries standard avec un support amélioré et une pale pendulaire amovible. Pour un meilleur réglage, l'engrenage est constitué de pignons à dents fines. Malgré ses inconvénients, le système Aries a souvent été l'objet d'imitations de la part de fabricants préférant s'abriter derrière un concept d'excellente réputation plutôt que d'emprunter la voie difficile de l'innovation.

Le succès d'Aries est en grande partie dû à la personnalité de Nick Franklin. Dans le magnifique paysage de l'île de Wight, il a su être un partenaire très compétent auprès de navigateurs de toutes nationalités. Suite à l'augmentation du prix des matériaux et des difficultés du marché, Nick Franklin a décidé de fermer boutique ; de plus il avait fini de construire son propre bateau, après 20 ans d'un travail stressant, il était prêt pour des navigations en eaux plus calmes. Des pièces de rechange pour tous les Aries sont disponibles en Angleterre directement auprès d'Helen, la fille de Nick Franklin.

L'Aries standard a récemment fait une réapparition grâce au danois Peter Mathiessen à Nordborg. Mathiessen utilise des composants en aluminium, fabriqués en Angleterre et qu'il usine ensuite en dimensions métriques. La seule version disponible est destinée à des bateaux d'une longueur inférieure à 18 m et elle est commercialisée directement par le fabricant.

Atlas. Construit en France pendant de nombreuses années, ce régulateur était disponible en trois versions
- Fletner sur safran principal (type 8)
- Fletner sur safran auxiliaire (type 6)
- Servo pendulaire (type 11)

Aucun de ces systèmes ne disposait d'un engrenage conique pour amortir le lacet, ils exigeaient donc que le bateau soit minutieusement réglé. La mort prématurée du fabricant a provoqué la fermeture de l'entreprise à la fin des années 80.

Atoms. Le régulateur servo-pendulaire Atoms (type 11) a longtemps été fabriqué à Nice et il était très répandu sur les côtes françaises. Les particularités de ce système sont l'aérien en aluminium et le secteur circulaire qui relie les drosses au bras pendulaire, assurant ainsi une bonne distribution de la force de transmission. La fabrication des Atoms a pris fin au début des années 90.

Les régulateurs d'allure Atoms (à gauche) et Auto Helm (à droite).

Auto-Helm. Le régulateur Auto-Helm avec fletner sur safran auxiliaire (type 6) est d'origine californienne. Son apparence rustique et les inconvénients partagés par tous les régulateurs de ce type l'ont restreint à une distribution locale. La transmission entre l'aérien et le fletner se fait par deux câbles gainés. Il n'y a pas d'engrenage conique. Ce système existe en une version. Il est fabriqué par Scanmar International aux Etats-Unis.

Auto-Steer. Cette entreprise britannique fabrique deux systèmes (type 8 et 11). L'ensemble « aérien » est le même pour les deux systèmes, mais il est soit combiné à un système servo-pendulaire, soit à un fletner sur safran principal (sans engrenage conique). Les deux systèmes sont disponibles auprès du fabricant.

Bogasol. Ce régulateur servo pendulaire espagnol (type 11) est assez similaire au Navik : l'aérien contrôle un petit fletner sur la pale pendulaire sans l'aide d'un engrenage conique. La pale pendulaire peut être relevée sur un des côtés.

Les régulateurs d'allure Bogasol (à gauche) et Bouvaan (à droite).

Bouvaan. D'origine néerlandaise, c'est un régulateur servo-pendulaire en inox plutôt rustique. Il est destiné aux navigateurs capables d'assembler ce système livré sous forme de kit. Il est pratiquement aussi cher lorsqu'il est fourni assemblé que les régulateurs plus esthétiques construits professionnellement. Ce système est disponible dans une seule version directement auprès du fabricant.

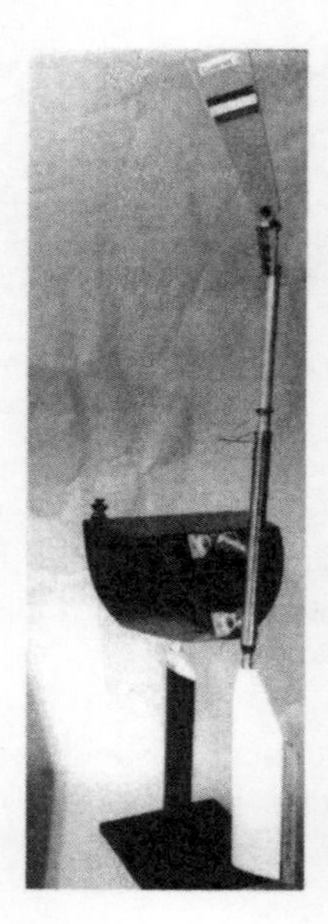

Le BWS Taurus.

BWS Taurus. En 1996, suite à l'arrêt de la production par le fabricant Skeentist, Paul Vissier a repris la fabrication ce système (type 6). Les régulateurs sont produits à l'unité. Ni le fletner, ni le gouvernail auxiliaire n'offrent la possibilité d'être immobilisés dans l'axe. Par conséquent, il faut enlever le safran auxiliaire pour éviter les difficultés de manœuvre en marche arrière au moteur. Afin d'éviter une collision entre les deux safrans, sur les bateaux dont le safran principal se situe très en arrière, il faudra démonter le gouvernail auxiliaire avant les manœuvres au moteur. Le rapport de transmission entre l'aérien et le fletner doit être réglé manuellement de façon à éviter les surcorrections de l'aérien H. Ce système existe en trois versions selon la taille du safran auxiliaire et il est construit à l'unité. Le BWS Taurus est l'un des régulateurs les plus chers sur le marché mondial. Il est disponible auprès du fabricant.

Cap Horn. Construit au Canada, le régulateur servo-pendulaire Cap Horn (type 11) a fait son apparition au début des années 90. Ces systèmes sont construits en inox de manière artisanale. Le bras pendulaire sur lequel les drosses sont attachées passe à travers le tableau arrière. Cela complique l'installation car pour le passage du bras pendulaire on doit percer un trou de 63 à 89 mm dans le tableau arrière et il faut veiller à son étanchéité. Etant donné que pour un tableau arrière incliné ou renversé, on a besoin d'un trou circulaire dans le plan vertical, il faudra percer un trou de la forme ovale appropriée. L'installation du cadre qui forme le support à l'intérieur du tableau arrière peut également être délicate. L'installation exige donc de bonnes qualités de bricoleur. Ces composants sur mesure ne font pas partie de l'ensemble standard.

En théorie, l'absence de drosses sur le pont est une bonne solution pas toujours réalisable dans la pratique. Amener les drosses dans le coffre arrière depuis le secteur spécifique au système jusqu'au niveau du pont nécessite des poulies supplémentaires et rallonge le chemin de transmission. L'accumulation de ces éléments diminue les performances du régulateur. L'installation peut également réduire la flottabilité et le volume de rangement sur certains bateaux. Le système ne possède pas d'engrenage conique, mais utilise une tige avec deux coudes à 90° qui aide à recentrer la pale pendulaire. En termes pratiques, la pale pendulaire ne s'abaissant pas toute seule, la mise à l'eau de la mèche pendulaire en cours de navigation est une opération pour le moins périlleuse.

Deux versions sont disponibles : une pour les bateaux de moins de 12 mètres, l'autre pour les plus de 12 mètres. Ces régulateurs d'allure sont commercialisés par le fabricant au Canada et par Asmer en France.

Fleming. L'Australien Kevin Fleming a démarré la fabrication de régulateurs servo pendulaires en 1974. Mis à part l'engrenage conique, ce système avait la particularité d'être en inox moulé et de posséder une mèche pendulaire qui remontait jusqu'au niveau du pont, supprimant ainsi 4 poulies. Ce système existait en trois versions, il était relativement cher et, après quelques années, l'entreprise ferma ses portes. Au milieu des années quatre-vingt, la fabrication reprit chez New Zealand Fasteners d'Auckland mais les ventes restèrent à un niveau faible. Kevin Fleming déménagea à San Diego pour travailler sur d'autres projets.

Fleming a remis la main à la pâte en 1997. Ce système pendulaire dispose maintenant d'une pale relevable et d'une télécommande par vis sans fin. Ce système est commercialisé directement par le fabricant.

Les régulateurs d'allure Fleming (à gauche) et Hydrovane (à droite).

Hydrovane. L'Hydrovane est un système à safran auxiliaire (type 4) fabriqué en Angleterre par Derek Daniels. Il est disponible en deux versions : réglage manuel (VXA1) ou par télécommande (VXA2) ; il a subi très peu de modifications depuis son apparition en 1970. Ce système offre une transmission à trois positions permettant à l'utilisateur de modifier l'angle effectif du safran auxiliaire pour éviter les surcorrections. Le safran auxiliaire n'existe qu'en une seule version.

L'usage de l'Hydrovane est limité, en termes de longueur du bateau, par la surface du safran auxiliaire de 0,24 m^2. Le fabricant donne une longueur maximale de 15 mètres/50 pieds (18 tonnes) mais l'absence de servo-assistance laisse à penser que le régulateur aura du mal à fournir un pilotage efficace, dans toutes les conditions, sur un bateau de cette taille. La pale de safran en plastique moulé ne flotte pas. Pour l'enlever, on la libère de l'axe du gouvernail et on l'enlève par en-dessous. Les systèmes Hydrovane sont construits en aluminium avec des méthodes issues de l'industrie. Ils ont une réputation internationale de solidité et de fiabilité. La longueur totale et les composants du support sont ajustés sur mesure pour chaque bateau. La gamme de produits est la suivante :

* VXA1 réglage manuel
* VXA2 réglage télécommandé

Hydrovane distribue directement ses produits partout dans le monde.

Levanter. Ces régulateurs de fabrication britannique (type 4 et 10), similaires à l'Hydrovane et très coûteux étaient disponibles en trois tailles, leur production s'est arrêtée il y a quelques années. Levanter a récemment lancé le GSII, un régulateur servo-pendulaire pour bateaux de moins de 8 m. Ce système est commercialisé par le fabricant.

Monitor. Préférant ne pas retourner dans le froid de leur pays natal après leur tour du monde, les Suédois Karl Seipel et Hans Bernwall se sont installés à Sausalito en Californie. Ils ont fondé Scanmar Maine en 1978 et ont été pendant quelque temps des agents commerciaux pour Sailomat Sweden AB et Navik France. L'association avec Sailomat s'est arrêtée suite à la course Transpac de 1981 vers Honolulu où le fabricant, face à un taux de panne élevé, n'a pas voulu fournir les pièces de rechange immédiatement. Depuis le Salon Nautique de Long Beach en 1981, les deux amis ont passé un accord avec le fondateur de Monitor, Gene Martin, pour la fabrication du système in-house. Le Monitor (système de type 11) est fabriqué de manière artisanale en inox 316L. Il est similaire à l'Aries et utilise la même liaison à engrenage conique. Bien qu'ils soient très connus aux USA, Scanmar n'a débuté une commercialisation mondiale qu'en 1988.

Si une vingtaine de petites modifications ont été effectuées, le Monitor reste essentiellement inchangé par rapport à la version originale. Maintenant, l'unique propriétaire, Hans Bernwall, considère son produit comme une version « raffinée » de l'Aries, régulateur d'allure qu'il surnomme respectueusement « Saint Aries » Le Monitor est un régulateur traditionnel exigeant une surface de montage importante sur le tableau arrière. Les drosses passent par un nombre élevé de renvois pouvant atteindre 10 poulies. Jusqu'en 1997, le régulateur était relié au tableau arrière par 16 boulons et le fabricant ajustait les éléments du support pour chaque bateau de manière individuelle. Ensuite 8 boulons ont suffi. L'inclinaison avant-arrière de l'aérien n'est pas réglable ; l'adaptateur de barre à roue est réglé par un dispositif à rail et à pignon. Un kit de conversion en safran de secours (MRUD) fut introduit en 1997. Une pale de superficie élevée (environ 0,27 m^2) est installée à la place de la pale pendulaire. Le bras pendulaire est alors stabilisé en six endroits par une série de mesures de renfort.

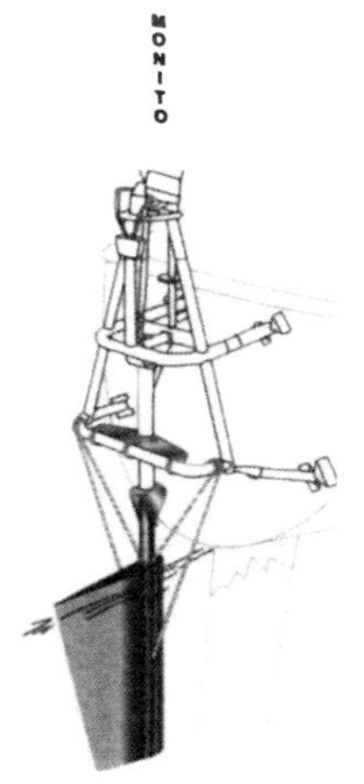

Le régulateur d'allure Monitor monté sur un voilier (à gauche) et en schéma (au-dessus).

L'entreprise bénéficie d'une bonne réputation et elle est reconnue pour son service après vente. Le Monitor est disponible dans une seule version pour des bateaux allant jusqu'à 18 mètres. Il est distribué par le fabricant.

Mustafa. Le Mustafa est un régulateur à safran auxiliaire avec fletner (type 6) ; il est produit par l'italien Franco Mallingri. Il est maintenant rare de rencontrer cet énorme système. L'importante surface du safran auxiliaire applique des efforts importants au tableau arrière. Le système dispose d'un amortissement du lacet. Le poids pouvant atteindre 60 kg, il s'agit sûrement du régulateur d'allure le plus lourd.

Le Mustafa.

Le Mustafa est disponible en deux versions :

* B pour bateaux mesurant jusqu'à 9 m
* CE pour bateaux mesurant jusqu'à 18 m

Ces systèmes sont commercialisés directement par le fabricant.

Navik. Ce régulateur d'allure servo-pendulaire de fabrication française (type 11) ne pèse que 18,5 kg. Il est très répandu sen France. Utilisant des éléments de liaison en plastique, ce système est plutôt fragile et convient donc peu aux grands voiliers. Le super Navik a été introduit sur le marché et quasi immédiatement retiré de la vente. La particularité de ce Navik, le bras pendulaire relevable, n'est pas d'un usage quotidien très facile, car le démontage de l'axe de rotation de la pale est très compliqué. L'aérien est relié à la pale, via un petit fletner, par une liaison à rotule en plastique plutôt fragile. Le système est disponible en une seule version.

Le système Navik n'est pas exposé dans les salons nautiques européens. Il est disponible directement chez le fabricant et auprès de distributeurs.

Les régulateurs d'allure Navik (à gauche) et Super Navik (à droite).

RVG. Le RVG est un régulateur américain à fletner sur safran auxiliaire (type 5). Construit en Californie jusqu'en 1977, puis repris par un ancien pilote de l'armée de l'air en Floride, le produit est resté quasi inchangé et la construction est restée artisanale. Le RVG n'est plus fabriqué.

Sailomat (types de 11 et 12). Le nom Sailomat est à l'origine d'une certaine confusion puisque trois entreprises différentes utilisaient ce nom simultanément. L'action judiciaire entre les groupes impliqués s'est prolongée sur plusieurs années ce qui a déstabilisé le marché. Sailomat Sweden AB a été fondé en 1976 par les Suédois Boström, Zettergren et Knöös. Avec le soutien financier du gouvernement suédois, l'entreprise a développé le Sailomat 3040 à double pale (type 12). A la fois élégant et innovateur, ce concept était le premier à combiner directement un système servo-pendulaire avec un safran auxiliaire. Le système était également très cher et les moyens financiers de beaucoup de navigateurs interdisaient un tel achat. Une estimation trop optimiste du marché potentiel et un désaccord personnel entre les trois partenaires ont probablement contribué aux difficultés de l'entreprise. La production s'est arrêtée en 1981 et l'entreprise a été dissoute peu de temps après.

H Brinks/Nederland, l'ancien Directeur de Marketing européen de l'entreprise et héritier des droits légaux a continué d'épuiser le stock pendant plusieurs années. A cause des batailles juridiques entre les ex-propriétaires, le système a été vendu sous le nom de Stayer pour finalement disparaître du marché à la fin des années 80.

Sailomat USA a été fondé par Stellan Knöös en 1984. Concevant des régulateurs servo-pendulaires (type 11), depuis sa base située en Californie, il les faisait fabriquer en Suède. Le Sailomat 500, un hybride pilote automatique/régulateur d'allure a été mis sur le marché en 1985. L'impulsion de pilotage provenait de l'aérien lorsque le vent soufflait de +/- 60° de chaque côté de l'angle du vent ; dans les autres cas, le pilote automatique était connecté. L'idée n'a pas réussi à se faire une place sur le marché et la diffusion de ce Sailomat est restée confidentielle.

Le Sailomat 536 fit son apparition en 1987, il était similaire au Sailomat 500 mais l'aérien couvrait un secteur complet de 360°. La mèche pendulaire se relevait par basculement latéral ; dans cette position horizontale la pale était très exposée car elle dépassait généralement du tableau arrière et donc en termes pratiques, il fallait également démonter la pale. Les éléments du support étaient construits à l'unité ; il n'existait ni cadres de montage modulables ni commande à distance.

Le Sailomat 600 a été lancé en 1993. Développé à partir du 536, ce système dispose d'un cadre de montage réglable et du système de relevage de la pale.

Les régulateurs d'allure Sailomat Stayer 3040 (à gauche) et Sailomat 536 (à droite).

Le Sailomat 601 lancé en 1996 est semblable au Sailomat 600, mise à part une modification de l'inclinaison du bras pendulaire.

Les régulateurs Sailomat ne sont pas équipés d'une liaison à engrenage conique. L'amortissement est produit par l'inclinaison vers l'arrière de la pale pendulaire afin que l'écoulement d'eau de part et d'autre de la pale ralentisse et amortisse le déplacement latéral de la pale. Cet angle a été modifié de nombreuses fois :

- Sailomat 3040 = 30°
- Sailomat 500 = 15°
- Sailomat 536 = 18°
- Sailomat 600 = 25°
- Sailomat 601 = 34°

Ils sont commercialisés directement par le fabricant.

Sailomat 601.

Saye's Rig. Ce système américain est un hybride servo-pendulaire/fletner (type 9). La pale pendulaire est reliée au bord de fuite du safran principal par un long support situé sous l'eau. Le support transmet directement au safran principal les déplacements latéraux de la pale pendulaire. L'amortissement provient de l'aérien V, rendu très efficace par son profil en forme de coin.

Le Saye's Rig est fabriqué en petit nombre aux USA. De la position du safran principal dépend la longueur du support de transmission qui relie la pale au safran. Les deux étant ainsi liés, les réglages de la transmission sont limités à la section aérien/pale pendulaire. Avec un bateau équipé d'une barre à roue, il sera difficile de déplacer le safran de cette manière. Une soupape by-pass ne convient pas pour utiliser le Saye's Rig avec une barre hydraulique car l'huile doit continuer à circuler dans le cylindre principal. De même, une soupape ne permet pas de reprendre le contrôle manuel de la barre en cas d'urgence.

Un pilotage manuel n'est possible qu'une fois le système déconnecté ou retiré. A cause de son concept peu commun, le Saye's Rig ne convient qu'à un petit nombre de bateaux et de safrans. Le Saye's Rig n'existe que dans une seule version et il est fabriqué par Scanmar International USA.

Schwingpilot. Ce régulateur servo-pendulaire allemand (type 10) apparu en 1974 est construit en aluminium avec des méthodes industrielles. L'entreprise allemande Schwing, particulièrement active dans le milieu des pompes à ciment a souvent souligné la particularité du Schwingpilot qui était de pouvoir être installé sur le balcon arrière. En conséquence, le régulateur disposait d'un bras pendulaire horizontal plutôt que du bras conventionnel vertical. Lors des manœuvres de port, ce bras extrêmement long était déposé de son support. Pour un fonctionnement net et précis, il fallait que le balcon arrière soit stable. On réglait la route grâce à une vis sans fin. La production s'est arrêtée en 1992.

Windpilot. John Adams a fondé Windpilot en 1968 au retour d'un voyage mouvementé entre l'Angleterre et Cuba. Epuisé après des jours de tempête, il s'échoua et fut arrêté à Cuba. Sa mésaventure parut dans la presse internationale. Il fut incarcéré pendant de longues semaines, période durant laquelle il décida de créer Windpilot.

De fabrication artisanale en inox, voici la liste des systèmes sortis sur le marché :
- Régulateur type 3 : Atlantik 2/3/4, régulateurs à safran auxiliaire et aérien V, pour des bateaux de longueur allant jusqu'à 8, 9 et 11 m. Leur production s'étend de 1968 à 1985.
- Régulateur type 5 : régulateur à fletner sur safran auxiliaire et aérien. La production s'étend de 1969 à 1971
- Régulateur type 10 : Pacific H, régulateur servo-pendulaire à aérien V ; sa production s'étend de 1973 à 1983
- Régulateur type 8 : Pacific, régulateur à fletner sur safran principal et aérien H ; fabrication à l'unité de 1971 à 1974

Ces systèmes étaient très robustes et la plupart sont encore en activité après quasiment 30 ans de service. En 1977, l'auteur de ce livre a pris l'entreprise en main d'une façon peu conventionnelle. Les deux amis John Adams et Peter C. Förthmann partis naviguer ensemble se sont mis d'accord pour un échange : l'entreprise contre le Yawl en acier !

En 1984-1985, Windpilot a arrêté la construction en inox. La longueur moyenne des voiliers équipés de régulateurs avait considérablement dépassé les 11 m. La paire formée par le Pacific et le Pacific Plus a fait son apparition en 1985 ; son système servo-pendulaire est ce qui se fait de mieux, qu'il agisse sur la barre ou qu'il soit combiné avec un safran auxiliaire. En réponse à l'augmentation de la taille des voiliers et du développement des cockpits centraux, combiner les avantages du safran auxiliaire et du système servo-pendulaire de cette manière semble être la solution la plus logique.

Les Pacific et les Pacific Plus ont très peu changé depuis leur lancement. Ils ont toutes les caractéristiques d'un régulateur servo-pendulaire moderne : réglable en continu, facile à démonter, aérien H, réglage à distance, liaison à engrenage conique, support de montage réglable, chemin de drosses réduit au minimum, adaptateur pour barre à roue réglable en continu avec support de montage universel, faible poids, construction modulaire et compacte en alliage d'aluminium Al Mg5. Les systèmes sont fabriqués en moules perdus en sable et par moulage mécanique, méthodes empruntées à l'industrie, puis usinés par des machines à cinq axes assistées par ordinateur.

Les deux systèmes ont remporté des prix grâce à leur conception avant-gardiste et ont même été exposés au musée allemand d'art et de conception. Les caractéristiques innovatrices de ces systèmes sont protégées par le brevet allemand P 36 14 514.9-22.

En 1996, l'équipe composée de Peter Kusserow, Peter C. Förthmann a produit le Pacific Light sur station de travail CAO. Ce système, le plus léger au monde, a été équipé d'une liaison à engrenage conique et possède toutes les caractéristiques de son aîné.

Le Windpilot Pacific Light (1996) à gauche et le Windpilot Pacific Plus à droite.

Après 12 ans de production, le Pacific et le Pacific Plus ont eu droit à une révision complète en 1997-1998. Tout en conservant les caractéristiques techniques de l'ancienne version, le nouveau Pacific dispose d'un support de montage multi-fonctionnel permettant une installation encore plus facile sur tous types de tableaux arrière. Les pièces en contact avec le tableau arrière s'adaptent à la courbure du tableau, rendant inutile la mise en place de cales biseautées entre la coque et le support. Le Pacific Plus dispose d'une liaison « Quick in, Quick out » permettant d'engager ou de désengager le système du safran auxiliaire même en charge. Cela devrait considérablement simplifier son utilisation. L'enclenchement s'opère d'une seule main, il est donc possible simultanément de désengager la pale pendulaire et d'immobiliser le safran auxiliaire dans l'axe. Les deux systèmes sont maintenant dotés d'un dispositif pratique permettant l'immobilisation de l'aérien en position centrée et la connexion d'un pilote automatique de cockpit Autohelm. Le fait de changer le procédé de fabrication et de passer du moulage en sable au moulage mécanique, une technique actuellement préférée dans l'industrie, permet d'assurer un moulage parfait des éléments, une surface parfaitement lisse et une excellente précision de fabrication. Pour 1998, Windpilot prévoyait l'introduction d'un régulateur à double pale pour bateaux de 18 à 23 m de longueur.

Présent depuis plus de 30 ans sur le marché, Windpilot est probablement le plus ancien fabricant de régulateurs d'allure encore actif au monde. Il est certainement le seul à offrir une gamme complète de systèmes modulaires pour tous types de bateaux.

Cette gamme comprend :
* Système type 11 : Pacific Light pour bateaux de moins de 9 m
* Système type 11 : Pacific pour bateaux de moins de 18 m
* Système type 12 : Pacific Plus I pour bateaux de moins de 12 m
* Système type 12 : Pacific Plus II pour bateaux de moins de 18 m

Les systèmes de Windpilot sont commercialisés dans le monde entier et ils sont distribués directement par le fabricant. L'entreprise est présente sur tous les grands salons nautiques européens. La filiale américaine située en Floride représente l'entreprise sur tous les grands salons américains et canadiens.

Le Windpilot Pacific (1998) monté dans la jupe d'un Ovni.

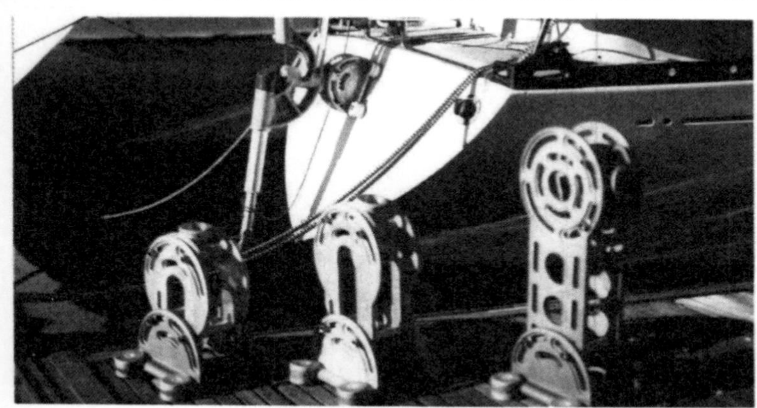

Windpilot Pacific (modèle 1998) : son support multifonctionnel

Windtrakker. Ce fabricant anglais a récemment lancé sur le marché un système servo-pendulaire (type 11) qui ressemble à l'Aries même en ce qui concerne les plus petits détails. Le temps révélera si oui ou non des copies comme celle-là sont capables de survivre sur un marché où l'original reste moins cher. Ce système est distribué directement par le fabricant.

Adresses des fabricants de régulateur d'allure

Aries
Helen Franklin
48 St. Thomas Street
Penryn, Cornwall TR10 8JW
Royaume Uni
Tél. : (44) 1326 37 74 67
Fax : (44) 1326 37 81 17

Auto-Steer
Warren Road
Indian Quenns Industrial Estate
St Columb Cornwall TR9 6TL
Royaume Uni
Tél. : (44) 1726 862 0000
Fax : (44) 1726 862 0008

Bouvaan
Tjeerd Bouma
Brahmsstraat 57
NL 6904 DB Zevenaar
Pays Bas
Tél. : (31) 8360 25566

Bogasol
Egui Diseny
Calle Provensa 157 bis
E 08036 Barcelona
Espagne
Tél. : (34) 3 451 18 79

Cap Horn
Cap Horn, produits marins
316, rue Girouard
Oka, (Québec)
Canada J0N 1E0
Tél.: +1(450) 479-6314
Fax: +1(450) 479-1895
www.capehorn.com
ASMER
rue de la scierie
17000 La Rochelle
France
Tél. : 05 46 45 22 20
Fax : 05 46 44 78 50

Fleming
Worth Marine Products
3724 Dalbergia St.
San Diego, CA. 92113
Etats Unis
Tél. : +1 619 557-0488
Fax: +1 619 557-0476
www.flemingselfsteering.com

Hydrovane
Hydrovane Yacht Equipement
117 Bramcote Lane
Chilwell, Nottingham NG9
4EU
Royaume Uni
Tél. : (44) 115 925 6181
Fax : (44) 115 943 1408

Auto Helm, Monitor, Sye´s Rig
Scanmar International
432 South 1st Street.
Richmond, CA 94804-2107
Etats Unis
Tél.: +1 510.215.2010
Fax: +1 510.215.5005
www.selfsteer.com

Mustafa
EMI SRI
Via Lanfranchi 12
I 25036 Palazzolo
Italie
Tél./Fax : (39) 30 7301 438

Navik
Plastimo France
15, rue de l'Ingénieur
Verrière
F 56325 Lorient
France
Tél. : (33) 2 97 87 36 36
Fax : (33) 2 97 87 36 49

Sailomat
Sailomat
P.O. Box 2077
La Jolla, California CA 92038
Etats Unis
Tél: (1) 858 454-6191
Fax : (1) 858 454-3512
www.sailomat.com

Windpilot
Windpilot
Bandwirkerstraße 39-41
D 22041 Hamburg
Allemagne
Tél.: + 49 40 652 52 44
peter@windpilot.com
www.windpilot.com

Les fabricants de pilotes automatiques étant largement représentés chez les shipchandlers, nous ne donnons pas leurs adresses.